Un petit boulot

Du même auteur

Une canaille et demie, Liana Levi, 2006 (Piccolo 2007)

Tribulations d'un précaire, Liana Levi, 2007

Iain Levison

Un petit boulot

Traduit de l'américain
par Fanchita Gonzalez Batlle

LIANA LEVI *piccolo*

ISBN : 978-2-86746-369-3

8ᵉ réimpression

Titre original : *Since the Layoffs*

À ma mère,

1

J'étais dans le bar de Tulley et je regardais un match des Bills avec mon copain Tommy et Jeff Zorda, j'avais parié cent dollars sur les Bills. On en était au troisième quart-temps, l'équipe défensive menait par 21 à 0 et les Bills n'attaquaient pas sérieusement, mais c'était longtemps avant les licenciements, et perdre un billet de cent, ça n'était pas la fin du monde. Bref, derrière la tête de Jeff, il y avait une télé qui transmettait le match avec à peu près dix secondes d'avance sur les autres, je voyais donc ce qui allait se passer avant tout le monde. Au début, je me contentais de déconner, mais j'ai dit: «Hé! Je parie que je peux deviner les cinq prochaines actions.»

Tommy était intéressé rien que pour se marrer, mais Jeff Zorda, qui avait misé sur les Jets et était en train de gagner, avait la manie de parier. «Dix dollars l'action. Et tu dois annoncer les joueurs.»

J'avais seulement voulu plaisanter, mais chaque fois que Jeff se mettait à gagner, il virait au con prétentieux et expliquait à tous les autres qu'ils ne connaissaient rien au foot. Alors j'ai pris le pari.

«À la prochaine action, Thomas va recevoir le ballon et effectuer une course en débordement. Sur la droite.

– Pas possible, mon pote, a dit Zorda. C'est la troisième période avec six yards à gagner. Ils vont pas chercher à déborder.»

Évidemment, il y a eu une course de Thomas sur la droite pour la première tentative. Zorda a haussé les épaules.

Pour l'action suivante, le quaterback s'est placé en position reculée. Un des joueurs de ligne a bougé trop tôt et a écopé d'une pénalité.

«Là, ça devrait être un jeu de passe, mais ça se fera pas. Le tackle droit va bouger avant la mise en jeu.» J'avais donné à Zorda beaucoup trop de détails qui montraient que je trichais, il n'a pas saisi la perche. On a beau être très fort en foot, on ne peut pas prévoir une pénalité. Je crois qu'il n'écoutait pas, comme d'habitude. Tommy avait tout de suite pigé qu'il se passait quelque chose, il a regardé par-dessus le dossier des sièges et a vu l'autre télé, mais il n'a rien dit. Il a souri. Tommy n'aimait pas trop Zorda. Des bruits couraient sur lui et la femme de Tommy.

Zorda a constaté la pénalité et m'a regardé avec admiration. «Bon sang. Comment tu pouvais savoir?» Toujours aucun soupçon.

J'ai répondu: «Celui-là gigote depuis le début du match. La pénalité lui pendait au nez.» Tommy a souri. «Maintenant ils vont tenter une passe-écran à Taylor. Une passe courte. Deux ou trois yards tout au plus.»

Ça a continué comme ça pendant les cinq actions. J'allais dire à Zorda que je trichais quand il s'est levé, a tiré un billet de cinquante de son portefeuille et me l'a jeté en disant: «Enfoiré.» Ensuite il a titubé vers les toilettes, bien plus soûl que je pensais, en passant juste devant la télé qui montrait le match avec dix secondes d'avance.

J'ai dit à Tommy: «Je lui raconterai quand il reviendra.

– Qu'il aille se faire foutre.»

Mais Zorda n'est pas revenu. Sur le chemin des toilettes il a rencontré son dealer de coke et a quitté le bar en nous laissant son addition. Tommy et moi avons donc partagé les cinquante dollars et réglé pour lui. Zorda était tellement défoncé qu'il a dû tout oublier, parce qu'il n'en a jamais parlé au boulot.

Et jusqu'à ce que je tire une balle dans la tête de Corinne Gardocki, c'était la pire chose que j'avais jamais faite pour de l'argent.

Ken Gardocki examine des papiers éparpillés sur son bureau pendant que j'attends dans son fauteuil de cuir capitonné, en jean et blouson de travail, qu'il me dise ce qu'il veut de moi. Il m'a téléphoné ce matin à sept heures en me demandant de venir à son bureau, il a parlé d'une affaire possible entre nous. Ken Gardocki est bookmaker et je lui dois aux alentours de quatre mille deux cents dollars, alors n'importe quel genre d'affaire me convient. Il sait que je n'ai pas de travail, il sait que tout le monde dans cette ville en est là, mais il prend encore mes paris. Il va peut-être me demander de repeindre sa maison, ou de faire des courses pour lui. Il a peut-être besoin d'un majordome. Je pourrais faire ça. N'importe quoi pour retravailler.

Ken Gardocki trouve un des papiers qu'il cherchait et le tient devant moi, il me regarde comme s'il réfléchissait et dit: «Canadian Football League.

– Quoi?

– Sur tes quatre mille deux cents dollars, tu en as perdu mille huit cents sur la Canadian Football.

– Ouais.»

11

Il rigole. «Dis-moi, Jake, tu peux me donner un nom de joueur dans toute la Canadian Football League?

– Doug Flutie en faisait partie.

– Quand ça? Il y a cinq ans? Il joue pour les Chargers maintenant.

– D'accord.» J'aime bien Ken Gardocki parce que c'est un type à qui on ne la fait pas. Il est aussi le seul en ville à gagner du fric, parce qu'il vend de la drogue et des armes et qu'il est bookmaker. Dans une ville où les trois quarts des hommes ont été licenciés au cours des neuf derniers mois, les affaires qui profitent du désespoir sont florissantes.

Mais je commence à me demander pourquoi il m'a fait venir. Il a besoin de quelqu'un pour quelques corvées ou quoi? C'est vraiment nécessaire de revenir sur ma carrière de parieur? Visiblement, la liste de mes paris dénote quelques erreurs de jugement, sinon je ne serais pas ici.

«Comment tu peux seulement connaître les scores d'un match de la Canadian Football League? La chaîne sportive ne les annonce pas. Comment tu peux connaître le moindre score, d'ailleurs, maintenant qu'on t'a débranché le câble?

– Tu sais qu'on m'a débranché le câble?»

Gardocki hausse les épaules. «On le débranche chez tout le monde.» Il feuillette d'autres papiers, jette le tout sur le bureau et me regarde. «Alors comme ça tu paries sur le foot canadien et tu ne peux pas me donner le nom d'un joueur de la CFL. Qu'est-ce que j'en conclus?»

Où est-ce que je suis, bordel, dans le bureau du proviseur? Je vais être collé parce que je perds des paris? «J'en sais rien, Ken. Tu en conclus quoi?

– Que tu es désespéré.»

Je hausse les épaules.

« J'en conclus que tu paries pour de l'argent.

– Et pour quoi, sinon ?

– Pour le plaisir. Pour l'excitation. Toi tu paries pour te nourrir. Tu en as besoin pour imaginer que tu gagnes ta vie, exactement comme avant les licenciements.

– C'est à peu près ça. »

Gardocki hoche la tête. « Tu veux une bière ?

– Il est dix heures du matin, Ken. Je suis au chômage et je joue. Je ne suis pas un ivrogne. »

Gardocki sourit. C'est pour ça qu'on l'aime bien, que je l'aime bien aussi, parce qu'il sourit beaucoup. Il a dans les cinquante-cinq ans, il n'a pas de mérite, il ne se laisse pas faire, il sourit beaucoup, et c'est probablement l'homme le plus riche de la ville, à présent que les propriétaires de l'usine sont partis. Au Texas, au Mexique ou à Hollywood. Un endroit où il y a plus de soleil et où la main-d'œuvre est moins chère qu'ici.

« Combien de temps encore tu vas toucher le chômage ? Avant que le gouvernement te le supprime ? »

Je sens que cette question nous mène quelque part. Il a quelque chose en tête, il va peut-être me demander de devenir un de ses livreurs. Bon Dieu, je pourrais faire ça. Déposer de la coke et de l'herbe à la porte des gens. Il me laissera peut-être conduire un de ses 4x4. Je pourrais me balader en ville, écouter des CD et apporter aux clients leur drogue quotidienne, qu'ils échangeraient contre leurs allocations de chômage. Ça ne me pose aucun problème. Que je dise oui ou non, quelqu'un le fera. Mon refus au nom de la morale ne mettra pas fin tout d'un coup au problème de la drogue dans cette ville détruite. Un truc de ce genre me dépannerait jusqu'à l'ouverture de la nouvelle usine. On parlait déjà d'une nouvelle usine.

«Un an et trois mois.

– Et ensuite? Tu vas crever de faim dans ton appartement?

– D'ici là, la nouvelle usine aura ouvert.»

Gardocki secoue la tête. «Il n'y aura pas de nouvelle usine. Qui voudrait ouvrir une foutue usine ici?

– J'ai entendu dire que les papiers Scott étudiaient le site.» Tommy m'avait téléphoné pour me dire qu'il l'avait lu dans le journal. De grosses compagnies étaient intéressées, je le savais. Il y avait une réserve d'ouvriers qualifiés, un bâtiment déjà équipé pour produire des pièces de tracteurs. Quelques transformations, et ça tournerait en produisant autre chose. Nous savions tous ça.

Gardocki rigole de nouveau. «Les papiers Scott.» Il secoue la tête. «C'était une usine de construction mécanique. Tu penses qu'ils vont la transformer en moulin à papier? Et remettre ça avec les conneries des syndicats? Plus personne ne veut avoir affaire aux syndicats. On veut des Mexicains. On veut des gens qui seront contents avec sept dollars de l'heure et qui ne rouspéteront pas pour en toucher dix-sept. L'usine, ici, c'est fini, Jake.» Il se laisse aller contre son dossier et allume une cigarette. «Qu'est-ce qui est arrivé à cette jolie fille avec qui tu sortais?

– Je t'emmerde.»

Gardocki prend une expression de surprise. «Domaine interdit?

– Tu sais qu'on m'a débranché le câble et tu ne sais pas que ma copine a quitté la ville?

– Elle est partie avec un vendeur de voitures d'occasion, hein?» Gardocki a l'air de compatir, pour ne pas m'énerver davantage.

«Il vendait des voitures neuves.»

14

Après la fermeture de l'usine, les concessionnaires de voitures aussi avaient quitté la ville. Les chômeurs n'achètent pas beaucoup de voitures neuves. Kelly était partie avec lui, à Ypsilanti. Avant son départ, ç'avait été déchirant quand elle avait traversé sa période touchante du «Qu'est-ce que je dois faire?» Quand je gagnais dix-sept dollars de l'heure, Kelly ne se demandait jamais ce qu'elle devait faire. Quand ses sept dollars de l'heure comme réceptionniste chez un concessionnaire de voitures ont fait d'elle le pilier de nos revenus, elle a commencé à se poser ces questions philosophiques profondes. Elle m'a raconté qu'un vendeur lui proposait d'aller à Ypsilanti avec lui, qu'est-ce qu'elle devait faire? Je lui ai répondu d'aller se faire foutre, et je suis sorti parier sur la Canadian Football League. Après son départ, je n'ai jamais décroché le téléphone, je n'ai pas répondu à la lettre qu'elle m'a envoyée et je ne lui ai pas dit au revoir. Avec l'ouverture de la nouvelle usine, quelqu'un d'autre se présenterait.

«Jake, je veux que tu tues ma femme.»

Je ris. Je cherche des signes d'humour sur le visage de Gardocki. Mais je n'en trouve pas. Il ne me regarde même pas. Il a les yeux fixés sur une tache du mur juste au-dessus de ma tête, il n'exprime rien. Il fume et il attend que j'aie bien compris.

«Ken, je ne vais pas tuer ta femme.»

Il hoche la tête. «Alors qu'est-ce que tu vas faire? Retourner dans ton deux pièces? Traîner toute la journée? Marcher d'un bout de la ville à l'autre et passer trois heures à la bibliothèque? Aller voir ton copain Tommy au magasin du poste à essence où il travaille et lui demander de voler un paquet de cigarettes pour toi?» Ça, c'est inquiétant. Il sait que Tommy vole des cigarettes pour

15

moi, mais ce n'est pas vraiment du vol puisque Tommy est le directeur et qu'il sait que je ne peux pas me les payer, alors il me les donne. Depuis combien de temps Gardocki me surveille et prend des renseignements sur moi?

«Tu seras finalement expulsé, tu le sais? Et alors qu'est-ce que tu feras? Tu deviendras un sans-abri?» Gardocki me fait la conversation à présent, il m'offre une cigarette. Je suis presque soulagé d'entendre ces mots, les mêmes que j'entends dans ma tête vingt-quatre heures sur vingt-quatre. Comment travailler? Comment payer tes factures? Chaque mois, j'abandonne chez le prêteur sur gages un objet qui m'appartient, ou je dois rendre quelque chose que je n'ai pas fini de payer. J'ai déjà perdu la Dodge Viper de 1997 et je l'ai remplacée par une Honda Civic de 1980. Combien de dégringolades encore avant de me retrouver dans un appartement vide? Un jour, je rentrerai chez moi et les serrures auront été changées. Et ensuite? ET ENSUITE? J'essaie de faire taire les voix avec ce qui me tombe sous la main, mais ce ne sont pas les voix d'un fou. Ces voix ont un sens.

«Tu comptes faire quoi pour ta dette de jeu, Jake?

– Bon sang, Ken, tu présentes ça comme une chance professionnelle à saisir.»

Gardocki hoche la tête en souriant. Je prends la cigarette qu'il m'offre. Il va à la fenêtre sale qui donne sur un champ gelé et quelques baraques piteuses.

«Six cents hommes sans travail qui touchent du fric de l'État, dit-il d'une voix neutre. Je pourrais leur faire la proposition à tous et au moins vingt accepteraient. Tu ne penses pas?» Il se retourne vers moi.

«J'en sais rien.

– Pense aux types avec qui tu travaillais. Je veux dire,

16

penses-y vraiment. Ceux qui ont une famille, ceux qui ont des enfants qui vont dans ce dépotoir d'école primaire. Pense à ton copain Tommy qui dirige un magasin de merde, pour combien, sept dollars et demi de l'heure? Il a une gamine, pas vrai?

– Tommy ne le ferait pas.

– Qu'est-ce que tu en sais? Cinq mille pour un boulot d'une journée? Je pense que si tu commences à lancer ce chiffre en ville tu trouveras des tas de gens prêts à faire des tas de choses. Ça paierait l'hypothèque de Tommy, non?

– Cinq mille?» J'ai parlé avant de pouvoir m'en empêcher, et je vois au fond des yeux de Gardocki un éclair immédiat de triomphe. Dans ce centième de seconde, où je pense à l'argent et pas à mon âme, ni à la morale, ni à ce que ma mère dirait si elle était encore de ce monde, il sait qu'il a gagné. Ça représente l'effacement de ma dette PLUS huit cents dollars. Huit cents dollars cash. Je n'ai pas vu autant d'argent en neuf mois. Je pourrais aller dans un bar et payer mon addition, je pourrais acheter du lait, du pain, me faire des sandwichs, et acheter du vrai cheddar au lieu de cette saleté fournie par l'aide sociale qui me donne la colique. Je pourrais récupérer ma télé chez le prêteur sur gages, me faire rebrancher le câble et recevoir des amis. Je pourrais reparler à Kelly, aller peut-être à Ypsilanti et l'inviter à dîner. Pourquoi penser à ça? Rien à foutre de Kelly. N'empêche que si j'avais huit cents dollars, et si ça me disait, je *pourrais* le faire.

Je pense alors à Jeff Zorda. «Zorda le ferait, lui. Il le ferait tout de suite.

– C'est vrai», dit Gardocki, et j'ai l'impression que pendant une seconde il a une drôle d'expression. «Mais c'est toi que j'ai choisi.

« – Pourquoi moi?

– Parce que je t'aime bien.

– Arrête tes conneries. Tu penses que je suis mauvais ou je ne sais quoi.

– Non.» Gardocki s'installe de nouveau confortablement. «Je crois que je peux te faire confiance. Et puis tu es intelligent. Tu es exactement le type d'homme qui a vraiment besoin de ça, mais tu n'irais pas le raconter partout si tu décidais de ne pas le faire. En plus, tu n'es pas marié. Tu n'as personne avec qui partager tes inquiétudes là-dessus. Pas de femme pour que je me tracasse de savoir si tu lui en as parlé ou pas. Les hommes racontent tout aux femmes sur l'oreiller, et toi tu ne baises pas.» Il rit, puis il redevient sérieux. «Fais ce qu'il faut pour survivre, Jake. Les temps sont durs.»

Qui dira le contraire? Les flics? Le pasteur? Je ne suis pas allé à l'église depuis les licenciements. De toute façon, les flics et les pasteurs ont du boulot. Leurs arguments n'ont aucun poids.

«Pourquoi tu crois que j'ai continué à prendre tes paris? J'ai arrêté avec tout le monde depuis belle lurette.

– Je me suis posé la question.

– C'est vrai que c'est une chance professionnelle à saisir, Jake. Et ça pourrait foutrement bien être ta dernière.

– Je le ferai.»

Gardocki approuve. Il me dit qu'il viendra me chercher plus tard et que nous ferons un tour en voiture. Il me demande d'être bien habillé. Il me tend cinq billets de vingt.

Je sors du bureau et remonte dans ma voiture, pas le cœur lourd comme quelqu'un qui vient d'accepter de renoncer à toutes ses valeurs, mais euphorique comme un type qui vient de décrocher un boulot.

18

«Voilà comment ça va se passer», dit Gardocki.

Nous sommes à La Cucina, un restaurant italien plutôt luxueux à près d'une demi-heure de la ville. Je n'ai pas fait un repas correct depuis des mois, et je m'occupe davantage du menu que de ce qui m'entoure. Je n'en reviens pas. Ce matin, je me suis réveillé en m'attendant à une journée nulle de plus, et ce soir je suis dans un restaurant classieux face à des gnocchis et une bouteille de merlot. Même si je renonçais à cette affaire, j'aurais toujours ce repas à garder en mémoire.

Gardocki dit: «Samedi prochain, dans huit jours, je pars en week-end. Je vais voir un ami à Denver.

– D'accord.» Je me verse un autre verre de vin.

«Ma femme sera chez nous. Elle reste toujours à la maison le samedi. C'est ma soirée de sortie. Elle a une aventure avec un pilote de ligne, et il est actuellement en ville. Il devra partir vers neuf heures. Pour prendre son avion. Tu entres par la porte de derrière, tu tires sur elle avec le pistolet que je vais te donner, et tu rentres chez toi à pied.

– La porte de derrière sera ouverte?

– Elle ne ferme pas bien. Nous habitons sur un chemin de terre à plus d'un kilomètre de tout, je ne me suis pas donné le mal de la réparer. Pas d'agressions dans ce coin-là.» Il sourit pour lui tout seul. «Jusqu'à samedi. Si tu fais du bruit, aucune importance. Mais ne la laisse pas appeler la police avant, c'est la seule chose dont tu dois t'inquiéter.»

Compris.

«J'organise ça depuis huit mois, Jake. J'ai tout réglé.

– C'est très rassurant.

– Tu es l'homme de la situation. Je l'ai su dès le premier jour.»

19

Je suis flatté. Pour la plupart des gens, être considéré comme le tueur à gages idéal pourrait ne pas apparaître comme un compliment, mais pour un homme au chômage depuis neuf mois, c'est un honneur d'être respecté par quelqu'un, peu importe pour quoi. C'est ça qui manque quand on n'a pas de travail. L'argent, bien sûr, mais aussi l'idée qu'on vaut quelque chose aux yeux de quelqu'un. Si vous êtes absent une journée, on appelle chez vous pour savoir ce qui se passe. Si je mourais chez moi en ce moment, je puerais joliment avant que quelqu'un vienne voir. Probablement Tommy, qui aurait remarqué que je n'étais pas passé depuis un bout de temps pour piquer des cigarettes.

«Tu dois aussi faire attention que personne ne te rencontre en route. Ne fume pas autour de chez moi en laissant des mégots. On peut faire des trucs avec l'ADN de nos jours, toute cette merde. Ne laisse pas non plus d'empreintes de bottes à l'intérieur. Enveloppe-toi les pieds avec des chiffons pour qu'on ne trouve pas d'empreintes nettes, surtout s'il neige.»

La serveuse arrive en apportant nos plats, et Gardocki change de sujet avec tellement d'adresse que je m'inquiète. Il est trop fort quand il s'agit de tromper son monde, et j'ai un pacte de vie ou de mort avec lui. «Et Favre, je ne sais pas combien de temps il va encore durer. Les Packers ne sont plus les Packers que nous avons vus au Super Bowl deux ans de suite.» Il dit ça avec la même voix que celle qu'il vient d'avoir pour parler de l'assassinat de sa femme. La serveuse nous souhaite bon appétit et s'éloigne, Gardocki continue dans la foulée: «J'ai aussi réglé ton affaire de paris.

– C'est-à-dire?»

Ma fourchette prête, je contemple mon plat de *zite* fumantes.

«Je laisse une ligne en blanc sur mes feuilles de paris. Tu vas parier cinq mille huit cents dollars sur le match Jets-Bills de dimanche. Quel que soit le vainqueur, je remplirai le blanc. Une fois déduite ma commission, je te devrai exactement cinq mille. C'est pour que tu puisses expliquer à tes connaissances d'où tu sors l'argent.»

Entendu.

«Ça te pose un problème?

– J'ai tout compris. Je ferai du bon boulot.

– Ça n'est pas ce que je veux dire.

– Un problème? Tu parles de problème moral?

– Ouais.» Gardocki attend d'attaquer son plat, mais il me regarde patiemment.

«Oui.»

Il hoche la tête. «C'est bien. Bonne réponse. Si tu avais dit non, j'aurais su que tu mentais. Tu penses que ce problème va t'empêcher de faire du bon boulot?

– Non.

– On parlera plus tard des questions profondes. Pour l'instant, tu tues ma femme et nous nous porterons tous mieux.»

Nous mangeons.

J'ai menti à Ken Gardocki. Je n'ai aucun problème moral.

Je savais que la question était piégée, qu'il attendait une certaine réponse. Je savais qu'il me connaissait suffisamment pour soupçonner que je serais moralement partagé, et j'ai voulu lui paraître prévisible, sûr. Je ne voulais pas que Gardocki soit terrorisé à l'idée que je rencontre

21

tout à coup Jésus quand je me trouverai dans la cuisine et que je viserai sa femme à la tête. J'ai le sentiment que je vais faire un bien meilleur boulot qu'il le pense, je pourrais me découvrir des talents cachés.

De fait, je n'ai plus de morale. Ma vie m'a été enlevée par un coup du destin, un caprice de l'économie, un trait de plume dans un bureau de New York. Ma ville est détruite, ma copine est partie, mes amis et moi sommes fauchés en permanence. Des types nous ont tués, moi et ma ville, et je suis sûr que ça ne les empêche pas de dormir. Pourquoi je devrais m'arracher les cheveux à cause de Corinne Gardocki?

Maintenant que nous en avons parlé, l'idée de tuer ne me paraît plus une telle affaire. Corinne Gardocki. Je n'ai jamais vu cette femme. Le peu que je sais d'elle vient de rumeurs de bar. Il y a environ cinq ans, Gardocki a pris mon pari dans un bar, et ensuite j'ai bu un verre avec de vieilles connaissances à lui. C'étaient tous des types de l'usine, des ouvriers à quelques mois de la retraite, et la conversation a dévié sur la nouvelle femme de Gardocki, Corinne. Elle était strip-teaseuse dans un prétendu club pour messieurs de la nationale 40, et Gardocki l'avait remarquée un soir. Il était décidé à en faire sa prochaine femme, pour remplacer celle qui était morte d'un cancer à peu près six ans plus tôt. Gardocki était amoureux, il lui avait offert des tas de cadeaux et allait tout le temps la voir. Au bout de neuf semaines d'attente de rigueur, pour ne pas paraître trop pressée, la strip-teaseuse est devenue sa femme.

La conversation de ce soir-là au bar avait surtout ridiculisé le nouveau mariage de Gardocki. La plupart des ouvriers se moquaient de lui, ils plaisantaient en disant que sa femme allait baiser le vieux Ken à mort et aurait ensuite sa belle maison toute neuve, résultat de vingt ans de travail en usine et vingt ans de vie de bookmaker. Pour la plupart, ils n'avaient pas confiance en elle. Ils parlaient de la première femme de Ken, si gentille comparée à celle-là, qui était un serpent. J'ai pensé que c'était de la jalousie. Aujourd'hui que j'ai un contrat pour la tuer, seulement cinq ans plus tard, c'est clair que ces types avaient vu quelque chose qui avait échappé à Gardocki.

Peut-être que rien de tout ça n'est vrai. Peut-être que Corinne Gardocki passe ses journées comme bénévole dans un foyer pour sans-abri et que son histoire avec le pilote de ligne est le produit de la paranoïa sénile de Gardocki. Le «pilote de ligne» est peut-être son frère. En fait, ça m'est égal. Elle va mourir parce que j'ai été licencié d'une usine rentable en plein milieu de ma carrière. Elle va mourir parce que ma copine m'a quitté, parce que je ne supporte pas la vie de chômeur. Corinne Gardocki est une femme morte parce qu'un petit malin de Wall Street a décidé que notre usine ferait de plus gros bénéfices si elle se trouvait au Mexique. Je t'aurai, Corinne. Un problème moral? Pas vraiment.

Je vais voir Tommy au magasin de la station d'essence et il a une grande nouvelle pour moi.

«Jake, un de mes employés s'est fait descendre la nuit dernière. Il y a un poste à prendre ici.»

Hier, ç'aurait été une grande nouvelle. Hier, j'en aurais pleuré de reconnaissance que Tommy m'offre un boulot à cinq soixante-quinze de l'heure comme employé de magasin, qu'il me l'ait réservé. Aujourd'hui, je ne sais pas quoi dire, parce que j'ai quatre-vingt-dix-sept dollars en poche et que je suis venu piquer des cigarettes à Tommy pour qu'il pense que je suis toujours fauché. Personne ne doit savoir que j'ai de l'argent avant l'échéance du soi-disant pari, avant que j'aie une explication valable. Mon plan est donc de continuer à me comporter comme un fauché le reste de la semaine. Ça devient compliqué. Si je dis que je prends le boulot, et si Tommy a besoin de moi samedi soir, comment je fais pour tuer Corinne Gardocki si je suis occupé dans un magasin ?

Tommy croit que c'est le choc et la joie qui m'empêchent de parler, et il me raconte la fusillade. Apparemment, les flics sont venus la nuit dernière arrêter un des deux employés de Tommy qui vendait de l'herbe et de la cocaïne aux abords du magasin. Un jeune s'était fait prendre avec une dose et l'avait donné. Quand les flics sont arrivés il a attrapé le pistolet du magasin planqué sous le comptoir et a filé dans le parking. Un des flics l'a vu armé et a tiré. Si on ne m'avait pas débranché le câble j'aurais pu le voir aux infos, en supposant que les journalistes prennent encore la peine de mentionner ce genre de trucs.

« C'est super, Tommy. » Ma voix manque d'enthousiasme. Je vais avoir huit cents dollars, je n'ai pas besoin de porter un tablier et de faire du café pour des camionneurs ou de vendre des cigarettes à trois cinquante le paquet à des femmes au foyer. Mais Tommy a l'air ravi pour moi. Moi qui n'avais rien à faire de toute la journée, voilà que je dois jongler avec mon emploi du temps. « Tu veux que je commence quand ?

— Aujourd'hui ça serait formidable. Reviens à cinq heures. Je peux probablement arriver à t'engager comme directeur adjoint. Six cinquante de l'heure.

– Génial, merci mon vieux. C'est vraiment sympa.» Je sais que le jeune qui a été tué, le dealer, faisait la nuit. Tommy s'attend donc probablement à ce que je travaille samedi soir, et je dois trouver une excuse pour me libérer. Mais quelle excuse? Tommy sait que je suis fauché et que je n'ai rien à faire, jamais. Je ne pourrais pas me permettre de sortir avec une copine, même si j'en avais une, et Tommy connaît toutes celles que je connais, alors même si je disais que je sors avec l'une d'elles, il lui en parlerait dès qu'il la verrait. Ça se complique.

Il me faut quelqu'un qui garantisse que je suis pris samedi pour que je sois libre dans la soirée. Le choix évident est Ken Gardocki, mais il ne sera pas en ville. Et puis il vaut mieux que je prononce son nom le moins possible pendant les prochaines semaines, et que je limite nos contacts. Même s'il me fournit un alibi, ça sera pire que pas d'alibi du tout, parce qu'on remonterait forcément jusqu'à lui. Tout ça me traverse l'esprit tandis que je regarde Tommy avec une joie forcée.

Pour la première fois, j'entrevois qu'être tueur à gages c'est plus que d'appuyer sur la détente.

«Hé, vieux, je peux t'emprunter un paquet de clopes jusqu'à ma première paye?»

Tommy accepte avec un grand sourire. Il me tend le paquet. Puis il me tape sur l'épaule. «Toi et moi, on rebosse ensemble.»

J'arrive chez moi juste au moment où le téléphone sonne, et comme ma nouvelle carrière me trotte dans la tête, je réponds sans vérifier qui appelle. C'est un agent de recouvrement, un des nombreux que j'ai évités récemment.

« Mr. Jake Skowran ? » Je m'aperçois tout de suite que j'ai fait une erreur.

« Oui, c'est moi. » Encore une autre. Si vous êtes endetté, ne reconnaissez jamais que vous êtes vous-même quand on vous téléphone.

« Ici Mike Murty de Consolidated Finances. » Sa voix est froide et sans humour. Je déteste cette grossièreté avec laquelle ils commencent. Je jure que si un seul de ces types y mettait les formes, bavardait un moment avec moi, me demandait comment se passe ma journée, je serais presque tenté de prendre mes dettes au sérieux. « Vous avez un découvert de trois mille cent quatre-vingt-neuf dollars soixante-six sur votre compte Visa, et nous n'avons reçu de vous aucun paiement depuis quatre mois. Qu'allez-vous faire à ce sujet ?

– Ne quittez pas. Je prends une cigarette. » Je fouille mes poches, je trouve mon briquet, j'allume ma cigarette, je souffle la fumée et je m'assois sur le canapé. Mike Murty attend patiemment. « Voilà. Vous disiez ? »

Il répète la même information sur le même ton et me pose la même question. Ce que je vais faire à ce sujet ? Je ne sais pas. Finir par m'y habituer, je suppose.

« Je suis sans travail depuis neuf mois. J'ai été licencié. Tout le monde a été licencié dans cette ville. »

Silence.

« Mr. Skowran, cette dette ne va pas disparaître. Il nous faut un paiement quelconque, une preuve de bonne foi. Nous pourrons alors établir un plan de remboursement.

– Je suis au chômage.

– À moins que vous ne fassiez un versement, nous allons devoir vous intenter un procès. Cela va jouer contre vous… »

Il continue de discourir. Je n'écoute pas. Je m'étends sur le canapé et je regarde la marque de poussière là où il y avait ma télé. Le coin détente est vide, la stéréo est partie aussi. Je vois mon haleine se condenser dans l'air froid. Le chauffage a été coupé. Qu'un type dans un bureau à des centaines de kilomètres d'ici tape des choses désagréables à mon sujet sur un ordinateur est le cadet de mes soucis.

«J'aimerais que vous me promettiez que nous pouvons compter sur au moins cent dollars d'ici à la fin du mois, faute de quoi nous devrons prendre des mesures.»

Il m'arrive quelque chose. Je suis un tueur à gages à présent, je ne suis pas obligé de me laisser emmerder. J'ai un boulot, je toucherai bientôt de l'argent, je ne passerai pas un jour de plus à éviter les gens parce que je leur dois de l'argent. C'est *moi* qui *leur* en dois, ils veulent *me* parler. Je suis en position de force.

Je lui demande: «Vous vous souvenez de l'école primaire?»

Un court silence, puis il dit: «Mr. Skowran? Je vous ai posé une question à propos de versement.

— Et moi je vous ai demandé si vous vous souveniez de l'école primaire.

— Mr. Skowran, je souhaiterais revenir à notre sujet. Êtes-vous, oui ou non, en mesure de…

— Parce que je voulais savoir si c'était ça.»

Il cherche à comprendre. «Si c'était ça quoi?

— Si c'était ça que vous vouliez faire quand vous étiez à l'école primaire. C'était ça votre rêve de petit garçon? Vous regardiez par la fenêtre au cours élémentaire en pensant: un jour, un jour je téléphonerai à des gens qui ont été licenciés et je les emmerderai pour qu'ils versent leurs allocations de chômage à une saloperie d'entreprise

27

géante qui prend VINGT-SIX POUR CENT D'INTÉRÊT PLUS LES PÉNALITÉS DE RETARD…»

Mike Murty a raccroché. Il ne veut pas entendre mes hurlements irrationnels. Mike Murty a d'autres personnes à torturer. Il y a peut-être une mère célibataire quelque part dans le Tennessee qu'il peut convaincre de lui envoyer la moitié de ses bons d'alimentation. Mais moi, je me sens bien. Pour la première fois depuis des mois, je me sens puissant. Ma peur et mon angoisse se sont transformées en un bloc de haine, et il a sa vie à lui.

Jake Skowran est de retour.

2

Pendant que Tommy rentre dîner chez lui, un gamin de dix-sept ans, Patate, me fait visiter la boutique et m'explique comment on utilise la caisse enregistreuse. Il ne me regarde en face à aucun moment et il marmonne, mais Tommy m'a heureusement muni d'une brochure de la compagnie qui définit mes responsabilités. Je ne comprends rien de ce que dit Patate, mais le reste est facile à piger. Tous les articles sont passés au scanner, je n'ai donc pas besoin de connaître les prix, et la caisse fait le total. Mon principal boulot est de m'assurer qu'il n'y a pas de vol à l'étalage et qu'on n'essaie pas de me tirer dessus.

À cause des événements d'hier soir, l'arme que la boutique garde généralement derrière le comptoir est rangée avec les pièces à conviction au commissariat, de sorte que si quelqu'un essaie de me tirer dessus, le plan consiste, j'imagine, à essayer de planquer mes artères. Je suis censé aussi me sentir rassuré par le fait que les caméras de surveillance qui truffent le magasin prendront les tireurs en flagrant délit. Que les bandes d'enregistrement se trouvent dans une pièce non fermée à clef où n'importe qui peut entrer en enjambant mon cadavre rend ce système à quarante mille dollars totalement inefficace, d'après moi, mais c'est la sécurité de la compagnie. C'est elle qui s'occupe de nous.

D'aussi loin que remontent mes souvenirs, il n'y avait pas eu un seul vol à main armée dans cette ville avant la fermeture de l'usine. Depuis les licenciements, les magasins ouverts tard le soir sont devenus des forteresses, ceux qui y travaillent de nuit pour six dollars de l'heure, des anciens combattants. Chacun d'eux a une fusillade à raconter. Patate n'a pas l'air troublé le moins du monde en apprenant que la police vient de descendre son collègue. Quand je l'interroge là-dessus, il hausse les épaules et dit: «Jlé argé.

– Quoi?

– J'ai le lait à ranger. Seye akess.

– Que je surveille la caisse?

– Ouais.» Et il s'en va.

Je reste à côté de la caisse et je lis ma brochure, un roman à clef de dix-neuf pages, écrit tout petit, qui décrit la carrière passionnante et lucrative dans laquelle on vient de me lancer. La couverture montre une blonde ravageuse en uniforme de la compagnie, qui rend la monnaie avec un grand sourire à un client élégant et radieux. L'intérieur m'apprend que ce n'est qu'une question de temps avant que je m'élève dans la chaîne alimentaire de Gas'n'Go jusqu'à devenir directeur régional de tous les magasins du Midwest.

Une voiture s'arrête, une vieille BMW orange tachetée de rouille. J'attends impatiemment mon premier client, mais avant que je puisse l'accueillir aimablement, Patate vient du fond du magasin et dit: «Tustrer aplak.

– Quoi?

– Tu dois enregistrer sa plaque.

– Quelle plaque?»

Patate est visiblement agacé. Il m'écarte et tire un petit clavier de sous le comptoir. Il regarde un minuscule écran couleur et tape le numéro d'immatriculation de la voiture, puis il remet le clavier à sa place. «Toutes les vieilles caisses, dit-il. Tout ce qui est suspect.

– Tu trouves le type suspect?

– C'est une vieille caisse.

– Mais il est déjà enregistré. S'il fait quelque chose, les flics l'auront.»

Patate se penche et me montre l'appareil, relié au mur par un gros fil noir. Il m'explique: «Svash flik.» Ça va chez les flics.

Miraculeux. Le top de la nouvelle technologie. Quand j'inscris un numéro d'immatriculation, il entre dans un ordinateur de la police. Si c'est une voiture volée, ou si elle appartient à quelqu'un qui est sous le coup d'un mandat d'arrêt, une voiture de police est aussitôt et automatiquement envoyée à Gas'n'Go. Patate regarde tendrement le clavier. Il trouve cette technologie intrigante et elle lui donne une sensation de bien-être. De mon côté, tout ce que je vois c'est une probabilité encore plus forte de coups de feu dans le magasin. Je note mentalement de ne jamais utiliser ce système.

Le client, la cinquantaine, gros bide, pas rasé, les mains pleines de cambouis, entre et tend à Patate un billet de cinq pour deux quatre-vingt-dix-sept d'essence. Il ne regarde aucun de nous. Patate ne le regarde pas non plus en lui rendant deux dollars et trois cents, le type s'en va et pousse la porte avec ses pattes sales, il laisse une trace sur la vitre.

Patate annonce: «Tadataié aport», et retourne ranger le lait. Je dois nettoyer la porte. «Jlé argé.»

Patate part à sept heures parce que le travail de nuit est interdit aux mineurs. L'autre employé de Tommy a été tué hier soir. Il n'y a donc plus que moi jusqu'à demain matin sept heures, un service de quatorze heures pour quelqu'un qui n'a aucune idée de comment fonctionne le magasin.

Je me demande si les directeurs de la société Gas'n'Go se rendent compte que ça arrive, que leur boutique à cent mille dollars est laissée aux mains de types comme Patate et moi. À en croire leur brochure, je suppose que non. Ils doivent penser vraiment que nous sourions tout le temps, que nous portons des uniformes repassés et que nos clients sont enchantés. Je porte un jean déchiré vieux de trois ans et je suis bien content si les clients à qui je rends la monnaie ne sont pas armés. Comment ça a commencé, cette différence entre la brochure et la réalité? Les types qui l'ont écrite dans des bureaux n'ont jamais visité un de leurs magasins? C'est peut-être seulement celui-là, dans cette ville naufragée, qui embarrasse l'empire de Gas'n'Go. Mais je ne pense pas. Je soupçonne l'Amérique tout entière d'être en train de sombrer, moralement et financièrement, pendant que des rédacteurs de brochures sont assis dans leur bureau qui donne sur des fleuves ou des vallées et s'amusent à prétendre qu'ils ne le voient pas. Qu'est-ce que ça change pour eux, à moins d'une vraie révolution? Cette brochure a été écrite pour calmer les actionnaires. Je la déchire en petits morceaux devant une caméra de surveillance, et à mesure que passent les heures, j'en fais des morceaux encore plus petits, jusqu'à ce que, à trois heures du matin, je tienne des confettis, et quand le jour se lève, de la poussière.

J'ai des clients toute la nuit et j'apprends beaucoup. Une grosse femme d'une cinquantaine d'années aux cheveux noirs, sales et emmêlés arrive à deux heures et achète trois gallons de lait entier. Elle me tend une sorte de carte de crédit, mais au lieu du logo de la banque c'est un cachet officiel fané qui est imprimé dessus. Je regarde la femme avec méfiance.

Elle me dit: «Allez-y.»

Je hausse les épaules et j'introduis la carte dans la machine. Rien. La femme me regarde, je la regarde.

«Vous êtes nouveau?» Elle est essoufflée d'avoir transporté le lait jusqu'au comptoir.

«Ouais.

– C'est une carte EFS, de l'aide sociale. Il faut appuyer sur ce bouton-là de la machine.» Elle me sourit d'un air compréhensif.

Je me dis que c'est une malade mentale et que cette carte est probablement une carte d'accès à un parking dans l'Iowa. Je décide de lui faire cadeau du lait. Visiblement elle adore ça, et nous en avons tout plein.

«C'est bon. Prenez le lait.

– Il y a un bouton spécial», dit-elle. Elle s'impatiente, ou elle est fâchée qu'on lui fasse la charité. J'aperçois alors au bas de la machine un petit bouton qui dit EFS. J'appuie dessus et un reçu s'imprime, à ma grande stupéfaction. Elle signe un exemplaire et s'en va en boitillant sous le poids de trois gallons de lait qu'elle s'apprête à transporter chez elle dans le froid. Ça doit être pour le petit déjeuner d'une famille. Je regarde le reçu où est écrit «Electronic Food Stamps, Inc.»

Electronic Food Stamps, Incorporated. Pas simplement Electronic Food Stamps, mais Electronic Food Stamps, *Incorporated*. C'est une société. Quelqu'un se fait du fric en inventant des moyens de transmettre l'aide de l'État à des gens marginalisés. Un informaticien rapace a un contrat avec l'État parce que nous avons tous perdu notre boulot.

On se nourrit sur notre dos, c'est la pire de toutes les insultes. La destruction de ma vie, de ma ville, représente une bonne affaire pour quelqu'un d'autre. Il y a neuf mois, cette femme qui rentre à pied dans le froid était probablement employée à l'usine, ou mariée à un employé, et ses enfants avaient la sécurité sociale, elle avait une voiture et achetait le lait le jour, avec son porte-monnaie. Je ressens tout à coup la nécessité urgente de trouver l'ordure qui possède EFS et de tirer une balle dans sa sale gueule. Quelqu'un me doit une explication, et pas une explication genre relations publiques, l'explication de quelqu'un à genoux qui supplie qu'on le laisse vivre, la seule qui vaille la peine d'être entendue.

Mais il n'est pas le seul. Dorénavant, je dois faire la liste des gens à abattre. Il faut un vrai bain de sang, à la hauteur du bain de pauvreté et d'angoisse qu'on vient de faire couler pour nous.

Tommy arrive à six heures et demie, met le café en route et jette un coup d'œil dans la boutique. Pendant la nuit j'ai passé trois fois la serpillière, nettoyé tout ce qui est en verre, récuré les pots à café et fait briller chaque pouce d'acier inoxydable.

«Impeccable, Jake. Ça s'est bien passé?

– C'est assez facile.

– Ça t'embête de faire la nuit?

– Je m'y habituerai.

– Tu as des questions à me poser?

– Comment tu fais pour comprendre Patate?»

Tommy éclate de rire. «C'est un brave gosse. Il travaille ici depuis que son père a été licencié de l'usine. Il est le seul dans la famille à avoir un boulot.

– Qui est son père?

– Un camionneur. Johnny quelque chose. Prezda, c'est ça. Johnny Prezda. Tu te souviens de lui?»

Je réfléchis. Je ne me rappelle pas grand-chose de l'usine, les visages s'effacent de plus en plus chaque jour. Elle est devenue un souvenir lointain, et quelquefois je me demande s'il y a vraiment eu une usine, un centre dans cette ville. Est-ce qu'on sortait vraiment tous à cinq heures le vendredi après-midi et qu'on allait boire chez Tulley, rigoler et discuter pour savoir si oui ou non on partagerait trois grammes et demie de coke? Est-ce que j'avais vraiment une copine qui s'appelait Kelly, qui était belle et gentille, et que nous allions faire de longues promenades le soir quand il commençait à pleuvoir, en parlant des enfants que nous aurions et de la voiture que nous achèterions? Je secoue la tête. «Je m'en souviens pas.»

Tommy hausse les épaules. «Je te vois à cinq heures?

– Cinq heures, d'accord.»

En rentrant chez moi, je passe devant chez Kristy, là où nous allions prendre le petit déjeuner le dimanche matin, Kelly et moi. Il y avait généralement une file d'attente à la porte dès neuf heures. L'endroit n'est pas encore condamné par des planches, mais ça ne va pas tarder. Il y a trois voitures sur un parking construit pour cent. Un noir avec un blouson minable et un vieux bonnet de laine attend devant l'entrée pour demander une petite pièce aux clients, mais il n'y en a pas.

Une pluie glaciale a commencé à tomber et l'homme m'appelle. «Hé, mec, t'aurais pas une pièce? J'essaie de prendre le car.»

Je sais qu'il ment et je m'en fous. Il m'a déjà tapé au moins vingt fois et il ne se souvient jamais de moi. Ça fait des années qu'il économise pour prendre ce car. Le trajet doit être cher. J'ai piqué quelques pièces de vingt-cinq cents dans la caisse cette nuit et je les lui donne.

«Merci, mec.» Il prend les pièces et indique la vitrine de Kristy, derrière lui. «Plus personne vient ici.

– Ça coûte du fric, mec. Personne en a.

– Parce que l'usine a fermé?

– J'imagine.

– Je dois partir d'ici.

– Je te le souhaite.»

J'arrive chez moi et je pense à un type de l'usine avec qui je travaillais et qui s'appelait Tim Gregg. Il avait quarante-six ans, marié, deux enfants, et un mois environ avant la fermeture de l'usine, comme j'étais chef de service, l'entreprise m'a envoyé chez plusieurs employés m'assurer qu'ils avaient commencé à recevoir leurs allocations. Ça prenait trois jours, alors je l'ai fait. Gregg était le dernier sur ma liste ce jour-là, et quand je suis arrivé chez lui, je l'ai trouvé dans son garage en train de fixer un tuyau d'arrosage à son pot d'échappement. Il était blême. Il avait essayé de s'asphyxier dans son garage, mais le tuyau s'était détaché et le garage tout déglingué prenait l'air de partout, difficile d'en faire une chambre à gaz. Quand je me suis pointé, il était occupé à résoudre le problème, et il a essayé de prétendre qu'il mettait de l'ordre.

« Tim, mon vieux, tu essaies de te tuer ? »

Il s'est assis et m'a regardé sans rien dire. Puis il a signé les papiers que je lui avais apportés et a attendu que je m'en aille pour qu'il puisse en finir. Je ne voulais pas partir.

« Tu peux y aller », a dit Tim.

Je savais que je ne pouvais pas partir. Je savais que je ne pourrais pas me regarder dans la glace si j'apprenais le lendemain qu'il était mort. Et je ne pouvais pas appeler les flics, parce que tout ce que savaient faire les flics dans le coin c'était vous coller des amendes pour conduite en état d'ivresse et d'une manière générale vous traiter comme des chiens. Personne n'appelait les flics dans ma ville, ça ne se faisait pas. Alors j'ai tenu bon, et nous avons parlé de sport. Au bout d'un moment, je me suis aperçu que je ne m'en irais pas tant que Tim n'aurait pas arraché le tuyau du pot d'échappement et ouvert toutes les portes. Nous avons parlé durant deux bonnes heures, sans jamais aborder un sujet comme la fermeture de l'usine. Nous parlions surtout de footballeurs. Ensuite, tout en bavardant, il a commencé à démonter son système, arracher l'adhésif des trous du toit et le tuyau du pot d'échappement. Puis sa femme est rentrée, j'ai bavardé un moment avec elle, et je suis parti.

La dernière fois que j'ai eu des nouvelles des Gregg, ils étaient partis vivre chez la mère de Tim à Minneapolis.

Ce que je me rappelle, c'est lui avoir parlé en me disant : je ne connais même pas ce type, je n'ai jamais été dans la même équipe que lui, mais je vais m'assurer qu'il ne se tue pas. Je vais m'occuper de lui, ne serait-ce qu'un jour, parce qu'il n'est pas terriblement différent de moi. Ce qu'il fera plus tard, c'est son affaire, mais il ne se tuera pas devant moi et je ne ferai pas comme si de rien n'était.

Cette qualité en moi a disparu, comme les Gregg et comme l'usine. Si j'arrivais chez Tim aujourd'hui et s'il avait un nœud coulant autour du cou et un flingue dans la bouche, je le ferais signer et je filerais à temps pour ne pas entendre le coup de feu. J'ai donné des pièces au clochard parce que je les avais dans ma poche, mais s'il les dépense pour de la mauvaise héroïne et si, quand je serai rentré chez moi, il pourrit dans une ruelle, je m'en fous. S'il arrive à prendre son bus mythique et retrouve ceux qu'il aime après avoir mendié pendant des années devant chez Kristy, je m'en fous. L'un ou l'autre, pour moi, c'est pareil.

Ça ne m'intéresse plus. Tu as tes problèmes, j'ai les miens.

Je m'endors sur le canapé, épuisé pour la première fois depuis des mois, épuisé par un boulot, épuisé d'avoir travaillé et gagné de l'argent. Le sommeil est agréable et rafraîchissant. J'en suis tiré vers dix heures du matin par un coup de fil de Denise, de Consolidated Financial.

Denise a une voix tellement douce et sexy qu'elle devrait travailler à un autre numéro de téléphone. Après que j'ai engueulé Mike Murty, les gens de Consolidated Financial ont dû penser qu'on n'attrape pas les mouches avec du vinaigre. Et ça marche. Je suis si détendu et si surpris d'entendre une douce voix féminine que je ne raccroche pas, même après qu'elle s'est présentée comme agent du service de recouvrement.

«La raison de mon appel, Mr. Skowran, c'est que vous

avez un problème de dette.» Sauf que, dit par elle, c'est sexy. Un problème de dette, chérie, oh oui! «Si vous ne vous en occupez pas, vous risquez d'avoir des difficultés par la suite.»

Tout ensommeillé, je demande: «Par exemple?

– Eh bien, vous pourriez avoir du mal à acheter une maison.

– Acheter une maison?

– Oui. Ce serait difficile d'obtenir un prêt hypothécaire avec votre dossier…»

Et me voilà parti.

«Madame, je gagne SIX DOLLARS CINQUANTE DE L'HEURE DANS UNE STATION D'ESSENCE DE MERDE!!! VOUS CROYEZ QUE JE PASSE MES JOURS DE REPOS À ME CHERCHER UNE BARAQUE? VOUS CROYEZ SINCÈREMENT QU'AVEC SIX DOLLARS CIN-QUANTE DE…» J'entends la tonalité. Ces gens-là vien-nent m'emmerder UN DIMANCHE MATIN! Ils ne se reposent donc jamais? Rien n'est sacré?

Non. Pas par ici. Pas d'église pour moi. Je me rappelle la semaine où la nouvelle des licenciements est tombée, ils ont fait venir un pasteur pour qu'il se tienne à la disposi-tion de ceux qui voulaient lui parler. Quelques types sont allés le voir, et ils sont revenus avec la même histoire. Le révérend avait apparemment son rôle précis. Il avait été engagé et envoyé de New York par l'entreprise. On nous a fait expédier un pasteur par avion pour être sûr que per-sonne ne rappliquerait le lendemain avec un M-16 pour liquider la direction du personnel, ce qui était arrivé dans le Kansas quand on avait fermé une usine. Quant à offrir un véritable réconfort, c'était le dernier de ses soucis. Il s'intéressait surtout à nos collections d'armes.

À présent, quand les gens du coin vont à l'église, c'est avec le sentiment que Dieu en a marre d'eux, et ils essaient d'arranger les choses. Ils n'y vont pas par gratitude pour ses bienfaits, mais par peur que la situation s'aggrave encore davantage s'ils ne se dépêchent pas de s'aplatir devant une puissance supérieure. Personne n'a envie de se heurter à la foudre ou à une inondation en rentrant du bureau d'aide sociale en traînant les pieds.

Ce soir c'est ma dernière nuit de formation avec Patate. Après ça, je resterai seul. Parce que c'est dimanche soir, m'explique Patate dans son dialecte confus, demain matin il y aura beaucoup plus de clients qu'hier, alors je dois m'organiser à l'avance. Les gens arriveront tôt pour acheter des cigarettes, prendre un café et de l'essence, réchauffer peut-être une brioche collante dans le four à micro-ondes avant d'aller au travail qu'ils ont encore. Nous sommes près d'une grande route. Des routiers s'arrêtent souvent, et les machines à café doivent être remplies et prêtes à servir. Bien que ce soit illégal, Patate a fait plusieurs nuits et il me montre quelques astuces pour gagner du temps.

«Kontjour akess très tôt.» Je compte toujours ma caisse très tôt, pour ne pas devoir le faire quand les premiers clients arrivent vers six heures du matin. La caisse que je compte à cinq heures est celle que Tommy utilisera pendant la journée. Il me montre comment préparer la réserve de filtres pleins de café moulu, de sorte que faire le nouveau café prend deux secondes au lieu d'une minute et demie. Après m'avoir montré ça et quelques autres petits trucs pour prendre de l'avance, il s'attarde, agité.

Je lui demande: «Tout va bien?

– Mmmmph. » Il hoche la tête. Il regarde nerveusement dans tous les sens, j'ai l'impression d'être une fille qu'il veut inviter au bal. Je m'occupe de mes affaires en m'attendant à ce qu'il s'en aille d'une seconde à l'autre, mais non. Je range les présentoirs à confiserie et il m'observe.

« Qu'est-ce que tu as ? je lui demande.

– Tu es un ami de Tommy, pas vrai ?

– Ouais, je suis un ami de Tommy.

– J'ai besoin d'un service. » Avoir besoin d'un service l'oblige apparemment à parler clairement, puisque tout d'un coup il en est capable.

« Lequel ?

– Tommy serait furieux. » Il regarde ses chaussures.

« Furieux pourquoi ?

– Le coût de la main-d'œuvre. Il parle toujours du coût de la main-d'œuvre.

– Mais enfin, de quoi tu parles ?

– Il t'a engagé comme directeur adjoint, non ?

– Exact. »

Patate hoche la tête d'un air entendu. « Ça veut dire que tu as un salaire fixe. Tu touches pas d'heures supplémentaires. Il peut te faire bosser quatre-vingt-dix heures par semaine, et tu touches une moyenne de ce qu'il t'a promis à l'heure. Mais je suis mineur. Il doit me payer mes heures supplémentaires. »

Merde alors. Tommy m'a baisé. Je suppose qu'il y était obligé. C'est son boulot, et les bureaucrates de la compagnie lui donnent un bonus s'il ne paie pas d'heures supplémentaires. Qu'est-ce que je fais ? Je démissionne ? Je le ferai sans doute après avoir tué Corinne Gardocki. Et peut-être quelques autres. « C'est quoi, ce service, petit ?

– Je te demande de pointer pour moi à la sortie à peu près une demi-heure après mon départ. » Il est tout rouge de culpabilité et fixe le bout de ses chaussures. « Tony, celui qui s'est fait tuer, le faisait pour moi. On s'entraidait. Mais je dois être quelque part le dimanche soir. Ça me fera deux heures supplémentaires, c'est le minimum qu'il me faut par quinzaine pour donner à mon père cent dollars par semaine. »

Pauvre gosse. D'où sortent les gens comme ça? Un gamin qui a tellement honte de demander à souffler un peu, qui n'ose même pas l'imaginer. Il va au lycée à plein temps, il travaille à plein temps, et il n'a quand même pas le sentiment de mériter un petit extra pour pouvoir donner à son père l'argent du loyer. « Qu'est-ce que tu dirais de trois heures supplémentaires. Tu crois que ça t'arrangerait? »

Patate sourit, chose que je ne pensais pas possible. Il s'apprête à partir.

Pendant qu'il ramasse ses livres derrière le comptoir – il étudie un peu quand c'est calme –, je lui dis: « Mais tu peux faire quelque chose pour moi.

– Stadi? » Maintenant que c'est moi qui demande un service, nous revenons au patatais.

« Samedi soir. J'ai un truc chiant à faire. Ça prendra dans les quatre heures, mais Tommy compte sur moi. J'ai besoin que tu viennes de dix heures à deux heures du matin. Ne touche pas aux relevés des heures de travail, je te paierai en liquide. Cinquante dollars pour quatre heures. »

Patate réfléchit. Il est assez futé pour ne pas poser de questions. Il se dit probablement que je vais filer pour sauter la femme d'un autre, pas la tuer, et je vais confirmer

41

cette impression en mettant de l'eau de Cologne samedi soir. «Cinquante dollars?

– Cinquante jolis dollars. Quatre heures faciles.

– Ça marche.

– Ça marche.» Nous échangeons un signe de tête. Il décampe.

Le service se passe bien, mais je remarque quelque chose. Presque chaque client esquinte le magasin à sa façon. Certains collent leurs sales pattes sur mes portes vitrées fraîchement Ajaxées, d'autres prennent un article, regardent le prix, puis le reposent ailleurs. Presque tous salissent mon sol bien astiqué. Je ne parle même pas de ceux qui demandent la clef des toilettes.

Je me rends compte que c'est un aspect du travail qui me manquait. Me sentir responsable. J'étais compétent à la plate-forme de chargement, je vérifiais les factures avec soin, je vérifiais que tous les camions qui sortaient transportaient bien la bonne marchandise. En douze ans, j'ai peut-être eu une demi-douzaine de réclamations des entrepôts destinataires, et je crois que dans certaines l'erreur de comptage venait de l'autre côté. Si quoi que ce soit manquait, je passais des heures à essayer de le retrouver. Si des caristes se trompaient dans le rangement, je m'assurais de les aviser quand on s'en apercevait. Et ici, ça n'est pas différent, je veux que tout marche bien dans mon lieu de travail.

Travailler pour le patron n'y change rien. Si le directeur de l'empire Gas'n'Go m'appelait demain pour me dire que je suis foutu dehors encore une fois, la qualité de mon travail n'en souffrirait pas. Je n'arrêterais pas de nettoyer et je ne me mettrais pas à voler, comme ils le

pensent. C'est pour ça que, en supposant que les licenciements soient jamais nécessaires, nous ne l'apprenons qu'à
la dernière minute. Ils considèrent chaque fourmi
ouvrière comme un traître potentiel qui crève d'envie de
s'emparer de leur bien. Mais moi et les gars avec qui je travaillais n'étions pas là pour eux, ni même pour leur
chèque. Nous étions là pour nous, parce que nous pou-
vions former une équipe et faire un boulot. Et le pire,
dans les licenciements, ç'a été de découvrir soudain que
l'équipe était un mirage, créé par la direction pour obtenir davantage de nous à moindre coût. Ce que nous réali-
sions n'avait de sens que pour nous.

Un type entre et regarde une barre de confiserie. Il la
contemple pendant trois minutes, puis il la jette – il ne la
pose pas, il la jette – dans le mauvais casier. Il s'approche
ensuite du comptoir.

« Hé mec, t'as du steak haché ?

– Pourquoi ?

– Comment ça, pourquoi ? » Il est très maigre, a l'air
sournois, pas assez jeune pour être un gamin, mais pas
vraiment un homme. Son visage en lame de couteau et ses
tatouages délavés sur ses bras osseux me font penser qu'il
bat sa copine. « Parce que je veux en acheter.

– Tu es sûr ? »

Il reste interdit.

Je continue : « Tu es sûr que tu veux pas seulement le
regarder et le jeter ensuite quelque part où c'est pas sa
place ?

– Hé, mec, t'occupe », mais il est assez rapide pour
reculer vers la porte en disant ça. Il me voit sortir de derrière le comptoir et saisit un tourniquet de lunettes de
soleil qu'il lance vers moi, il répand les lunettes par

terre. Il disparaît avant que la dernière paire ait cessé d'osciller.

Pendant que je ramasse les lunettes à quatre pattes je lève le nez pour voir entrer Jeff Zorda.

« Hé, Jake, fait Jeff en riant, Tommy t'as engagé ici ? » Il indique la porte. « Qu'est-ce qui s'est passé avec ce connard ?

– Il n'a pas de manières. Je commence à savoir que la plupart des gens n'en ont pas. »

Jeff m'enjambe pour aller prendre de la bière dans l'armoire réfrigérée. « Tu essayais de les lui apprendre ?

– La leçon ne s'est pas bien passée. »

Jeff hausse les épaules et flanque un pack de bière importée sur le comptoir. Importée. Les affaires doivent marcher. Depuis les licenciements, Jeff s'est débrouillé grâce à un tas d'arnaques, d'habitude en vendant sur Internet des choses qu'il n'a pas. Il prend les commandes, encaisse les chèques, et disparaît. Il utilise les ordinateurs de gens qu'il sait en vacances, ou pire, en maison de retraite. Il épluche les avis de décès pour repérer les morts récents et fait toutes sortes de choses en leur nom.

« Tu travailles dans quel secteur ces temps-ci, Jeff ? » J'actionne la caisse enregistreuse et il sort son porte-feuille.

« Tu as besoin du câble ? Je peux te brancher. Pour toi, ça sera moitié prix. Vingt-cinq dollars.

– J'ai même plus de télé.

– Je t'en aurai une aussi.

– Ça va. Je m'habitue à lire. »

Jeff me regarde avec consternation. Pour lui, je suis une cause perdue. Il s'éloigne du comptoir en faisant semblant d'être effrayé. « M'apprends pas les bonnes manières.» Il rit de son propre humour. En sortant, il laisse l'empreinte de sa paume sur la porte que je viens de nettoyer.

Une demi-heure plus tard, le téléphone sonne.
«Allô?
– Jake?
– Ouais?
– Je t'envoie quelqu'un. Avec le pistolet. Il portera un blouson des Packers.» Clic et tonalité. À peu près trente secondes plus tard entre un type avec un blouson des Packers, il ne me regarde pas, va droit à l'armoire à bière et prend un pack de bière importée. Importée. Tout le monde s'en sort très bien dans cette ville sauf moi. Il vient au comptoir et sort son portefeuille. La quarantaine, les cheveux blonds, le visage grêlé, des yeux sans expression qu'il garde baissés en me tendant un billet de vingt. Je lui rends la monnaie et il s'en va sans un mot. Et sans me donner le pistolet.

OK, ça n'était peut-être pas lui. Les Packers sont populaires par ici. Au même moment je vois le 4x4 de Ken Gardocki passer lentement, puis s'engager dans le boulevard. Je me rappelle alors que le système de sécurité de Gas'n'Go est digne de Fort Knox – c'est exclu que quelqu'un file avec un pain au chocolat – et je m'aperçois que le seul endroit hors de portée des caméras c'est le coin du fond, à côté de l'armoire réfrigérée. Le type a bien joué. J'y retourne et je trouve un objet enveloppé dans un chiffon graisseux à côté des Budweiser.

Je m'accroupis et je le déballe. C'est un pistolet noir luisant. Je m'assois par terre et le contemple. J'aime la façon dont ça s'est fait. C'était du travail d'équipe.

45

La porte s'ouvre et je me relève vite pour voir mon nouveau client, pour qu'il sache qu'il y a quelqu'un dans le magasin. C'est le maigrichon du steak haché de tout à l'heure, sauf que cette fois il est avec deux copains costauds. Vraiment costauds. Des gros lards, tous les deux plus d'un mètre quatre-vingt-dix, et tous les deux l'air d'être con comme un balai. Il a dû foncer au parking des poids lourds pour trouver deux abrutis en pensant qu'ils m'intimideraient.

Il s'avance vers moi à grandes enjambées, les deux crétins encombrants derrière lui. Il dit d'une voix sifflante et pleine de haine: «Hé, connard, tu as du steak haché?»

Je suis debout, le pistolet dans la main, là où il est visible pour lui, mais pas pour les caméras de sécurité. J'aimerais le lui braquer entre les deux yeux, mais ça gâcherait le travail d'équipe. Rester hors d'atteinte des caméras de sécurité.

«Non, mais j'ai un très joli pistolet.»

Un des abrutis touche l'épaule du maigrichon.

Il lui dit: «Il est armé, mec.»

Je regarde le gros. «Foutez-moi le camp.»

Je retourne vers la bière, comme si je faisais un inventaire. Ils s'en vont en silence.

En arrivant chez moi, je pose le pistolet sur la table basse et je le regarde fasciné. À ce stade, je devrais penser: c'est un pistolet, un vrai pistolet que je vais utiliser pour tuer quelqu'un, et le fait que je l'aie chez moi signifie que je ne peux pas reculer. Mais ce n'est pas du tout ce que je pense. Je pense à quand j'étais gamin et que je jouais aux cow-boys et aux Indiens.

Je n'ai plus jamais tenu de pistolet, pas même un faux.

Je n'ai jamais trouvé grande utilité aux armes. Leur seule fonction est de tuer, et comme je n'avais encore jamais eu besoin de le faire, j'ai peu d'expérience. Je ne me rappelle pas avoir jamais tiré devenu adulte, ni même en avoir eu envie. Je n'ai jamais souhaité tuer. J'ai eu une fois le désir d'être un mari et un père soutien de famille, pas un tueur. Oh, et puis il faut savoir s'adapter aux changements, comme on dit.

Quant à ne pas pouvoir reculer, je n'ai jamais pu. Je suis un homme de parole. J'ai dit que je le ferais et je le ferai.

3

Tommy me fait bosser comme une bête, et quand arrive samedi je suis vraiment fatigué. Fatigué par le travail. Quelle sensation merveilleuse et oubliée. Ceux qui ont un boulot et bossent comme des bêtes n'apprécient pas à sa juste valeur le privilège de ce sentiment de satisfaction, la beauté de leur épuisement, qu'ils peuvent porter comme une médaille. Cet épuisement vous donne de l'énergie, vous savez que vous avez apporté votre contribution, changé quelque chose. J'ai changé quelque chose en remplissant les pots à café, en nettoyant par terre et en enregistrant des paquets de chips et des bières. Je suis redevenu un travailleur.

Tommy m'a inscrit pour toutes les nuits de cette semaine et de la semaine prochaine, chaque fois douze heures. Même si je ne touche pas d'heures supplémentaires, je reçois une prime pour dépassement de cinquante heures par semaine. Tommy essaie donc de m'aider à retomber sur mes pieds. Je suis effectivement sur mes pieds. Ils commencent à me faire mal. Quand approche l'après-midi du samedi, je me lave la figure dans ma salle de bains glaciale et je vois mes yeux dans le miroir, cernés de sombre. C'est la tête que j'avais à l'usine avant le début du printemps. Pour la plupart des entreprises la période la plus chargée est juste avant Noël. Pour nous, c'était à la fin de l'hiver, quand les travaux agricoles se préparaient. Nous fabriquions des pièces de tracteurs, et en février et mars nous travaillions parfois soixante-dix à quatre-vingts heures par semaine. C'était l'époque des grosses paies. Quand le printemps arrivait, les hommes emmenaient leur femme ou leur copine chez les concessionnaires automobiles ou dans les magasins de meubles échanger le modèle de l'année précédente, ou acheter finalement la télé à écran plat ou le canapé dont ils avaient parlé tout l'hiver. Aujourd'hui les concessionnaires sont partis, les magasins de meubles sont barricadés, et je lave ma gueule épuisée à l'eau froide en l'essuyant avant qu'elle gèle, pour pouvoir me trimballer au magasin et tuer une strip-teaseuse adultère.

J'ai découvert qu'il n'y a jamais grand monde le samedi soir jusqu'à la fermeture des bars. Ensuite les clients arrivent et me supplient de leur vendre de la bière après deux heures, et je dois me montrer très ferme. Les caméras de sécurité ont des horloges, et si elles filment une vente de bière après deux heures, c'est des ennuis pour tout le monde. Les services chargés de faire respecter la loi envoient même des mineurs et des agents essayer d'acheter de la bière illégalement, je dois donc demander les papiers de tout le monde et ne jamais vendre de bière trop tard, sinon je perds ma place, et Tommy aussi.

Personnellement, je m'en tape qu'ils veuillent se beurrer, mais je ne veux pas que ça coûte sa place à Tommy, alors j'essaie de respecter les règles.

Je trouve bizarre que ces règles soient appliquées de façon plus stricte que jamais, alors que la ville est devenue pratiquement une poubelle. On pourrait penser que ces choses-là n'ont plus tellement d'importance, qu'on devrait nous laisser tous nous effondrer en paix. Mais non. Les règles sont les règles.

Je m'inonde d'eau de Cologne, en me rappelant que Patate est convaincu que je vais sauter une femme mariée. Je sens bon. Je prends mon pistolet, je le glisse à l'arrière de ma ceinture sous mon blouson, et je pars prendre mon service au Gas'n'Go.

La soirée se passe sans incident, et à dix heures pile, Patate vient me relever pour quatre heures. Je dois être de retour à deux heures. Il le faut, parce que c'est l'heure où les contrôleurs de la vente d'alcool risquent de passer acheter de la bière, et ils pourraient remarquer qu'un mineur est derrière le comptoir.

Avant de partir, je règle l'horloge du système de surveillance pour qu'il indique la nuit dernière. Les bandes indiqueront maintenant VEN au lieu de SAM. Je ferai la même chose ensuite pour toutes les nuits de cette semaine. Si jamais je suis soupçonné, la police devra vérifier six nuits d'enregistrement pour prouver que je n'étais pas dans le magasin quand Corinne Gardocki a été tuée, et je n'aurai qu'à déclarer que le système de surveillance est une merde inefficace. Je ne vois pas pourquoi je deviendrais un suspect, mais on n'est jamais trop prudent.

Quand Patate arrive, j'ai déjà bourré mes poches de

chiffons pris dans l'armoire du nettoyage pour les envelopper autour de mes bottes et ne pas laisser d'empreintes dans la neige. Je pense que je suis prêt. À dix
heures une, je fais un signe à Patate, qui est en train d'ouvrir ses livres pour étudier au comptoir, et je m'en vais
tuer Corinne Gardocki.

Je fais toute la route à pied. Ça fait dans les huit kilomètres jusque chez Gardocki, et un homme parcourt en
moyenne cinq kilomètres à l'heure, donc j'aurai environ
une demi-heure pour régler l'affaire avant de devoir
repartir. J'ai décidé que c'était trop risqué de prendre ma
voiture. Si je dérapais sur la glace en sortant de l'allée des
Gardocki ? Si je tombais en panne à cinq cents mètres du
lieu du meurtre ? Comment expliquer ma présence ? En
plus, j'ai pris la voiture pour aller travailler ce soir, et j'ai
veillé à me garer devant la caméra de sécurité extérieure.
Il neige légèrement et les voitures passent à côté de
moi qui marche le long des rues obscures, leurs pneus
crissent. C'est un samedi soir animé, mais pas autant
qu'autrefois. La ville s'est passablement dépeuplée depuis
les licenciements, et beaucoup de gens restent chez eux à
contempler les murs, c'est tout ce qu'ils peuvent se permettre. Je faisais la même chose avant d'avoir ce boulot au
magasin. Contempler les murs et essayer de m'endormir
tôt. Je passe devant un petit bar à un coin de rue, et à travers la vitre jaunâtre je vois deux vieux en train de se soû-
ler avec leurs allocations de vieillesse ou d'anciens
combattants, pour avoir une chance de mourir ailleurs
que dans leur petit appartement. La neige vire au crachin
dru et je me mets à envisager de partir de cette ville. C'est
comment la Floride à cette époque de l'année ?

50

Je quitte la route et traverse un champ, puis les terrains d'une ancienne zone industrielle, des voies désaffectées. Je franchis des barrières brisées et une bretelle de raccordement inutilisée, tout rappelle une civilisation disparue. Toute la ville est dévastée. Bâtiments vides, véhicules rouillés, matériel cassé et abandonné un peu partout. Cette ville me fait penser à de vieilles photos des champs de bataille de la Seconde Guerre mondiale que j'ai vues à l'école, avec des tanks soufflés et des jeeps retournées, la seule différence c'est qu'ici les cadavres sur les photos sont les morts vivants qui peuplent la ville.

Pourquoi ne pas partir? Pourquoi ne pas toucher ma prochaine paie, sauter dans un train pour la Floride et en finir avec tout ça? Parce que je suis né ici. J'ai toujours voulu vivre ici. Comme à la plupart des gens du coin, cet endroit me plaisait, j'aimais survivre aux hivers, j'adorais l'arrivée du printemps. Je voulais emmener mes enfants en été au lac Michigan. Je voulais qu'Ernie Enright, le meilleur mécanicien que j'aie connu et le plus honnête, répare ma voiture. Je m'imaginais vieillissant, mais toujours capable, pour aller voir les matchs des Packers, de sortir en voiture de ma propriété au bord du lac, achetée avec mes économies, mes placements, et mon plan d'épargne-retraite de toute une vie. J'habitais à quinze kilomètres de là où j'étais né, et autant de là où était née Kelly, et j'aimais ça.

Je passe devant l'usine. Elle est entourée d'une clôture de trois mètres de haut, surmontée de barbelés acérés. Quelqu'un a peur que des gens viennent voler des pièces de tracteurs et se mettent à fabriquer des machines dans leur sous-sol. Une immense pancarte au-dessus de l'entrée annonce que le site est à louer. Je crois entendre les

51

mots de Gardocki : l'usine, ici, c'est fini. Je regarde la pancarte et je comprends combien il a raison. Qui donc louerait cet endroit ? Un concurrent qui fabrique des pièces de tracteurs sauterait sur l'occasion de rouvrir les portes d'une usine désaffectée dont d'autres dirigeants ont déjà décidé, pour une raison quelconque, qu'elle n'était pas assez rentable ? Quand ils ont fermé l'usine, nos actions grimpaient, mais pas assez vite. On pouvait mieux faire. Et ils ont fait mieux.

Un kilomètre plus loin, j'atteins le pont sur Kruc Creek, où je suis censé jeter mon arme en repartant, après que le boulot sera fait. Je regarde l'eau, un véritable torrent ce soir, avec toute cette pluie et la neige fondue. Excellent. Le pistolet sera emporté dans la boue et enterré définitivement. Je passe vite le pont. Je suis trempé, mais ça ne me dérange pas trop. Le froid est agréable. Je boirai un café en rentrant au magasin. Corinne Gardocki, qui est vivante en ce moment, sera morte quand je prendrai mon prochain café. À cet instant même elle est probablement en train de baiser avec un pilote de ligne, sans la moindre idée de sa mort prochaine.

À huit cents mètres environ du pont, je coupe à travers le bois, dernière étape du trajet. Le raccourci me mènera à l'arrière de la maison des Gardocki. Pour ne pas laisser d'empreintes de bottes, je m'enveloppe les pieds avec les chiffons en serrant bien. Je sors le pistolet, je le vérifie, j'ôte le cran de sûreté. Je relève mon capuchon et vais jusqu'à la limite des arbres qui bordent le jardin des Gardocki. Il y a de la lumière dans la cuisine et à travers la porte vitrée j'aperçois Corinne qui vaque à ses petites affaires en tenue légère.

Quand je m'accroupis pour me précipiter vers le mur

de la maison, je sens mon cœur cogner, la neige craque horriblement à chacun de mes pas. Je ne peux pas croire que tout le monde en ville ne l'entende pas, tout est tellement silencieux, sauf mon cœur qui cogne et mes pas dans la neige, aussi bruyants que des coups de fusil, et les grognements sourds provenant d'une énorme niche au bout de l'allée. Je ne l'avais même pas remarquée.

Un chien. Nom de Dieu. Ken Gardocki a un chien. Et il est très gros, et il m'arrive dessus, très vite. C'est une masse indistincte de colère, de grondements et de poils qui vole à travers les vingt mètres qui nous séparent, trop absorbée par l'idée de m'égorger pour émettre d'autre son qu'un grondement furieux en couvrant la distance en une demi-seconde. Une microseconde de plus qu'il ne m'en faut pour viser sa tête et appuyer sur la détente.

BANG.

L'arme recule. Le bruit est abominable. Mes oreilles tintent. Le chien glisse, s'arrête au pied des marches qui mènent à la cuisine et reste là, sur le dos. Il se contracte une fois puis s'immobilise. Je me laisse aller contre le mur de la maison et je m'entends répéter doucement «merde merde merde» sans m'arrêter, comme un mantra. Alors la porte s'ouvre.

Corinne Gardocki sort la tête et je tire.

BANG.

Elle bascule en avant et tombe sur son chien en bas des marches, sa tête glisse sur le ventre de l'animal. Avec son déshabillé, la tête nichée contre les organes génitaux du chien, c'est une scène bizarre.

L'écho du coup de feu s'éteint et c'est le silence absolu. La neige tombe sur les deux corps, et je les regarde pendant une longue minute, faiblement éclairés par la lumière de la cuisine, pendant que le tintement dans mes oreilles s'apaise. J'entends une voiture au loin, conduite par quelqu'un qui n'a pas la moindre idée de ce qui est arrivé ici dans la maison Gardocki, qui ignore qu'à cinq cents mètres de lui, ou d'elle, deux êtres, encore vivants il y a deux minutes, sont à présent morts l'un sur l'autre.

Les coups de feu ont dû s'entendre à des kilomètres. Je pense à Patate au magasin, qui lève le nez de ses livres en se demandant ce que c'était. Je m'aperçois alors que si un voisin les a entendus, il doit probablement être en train d'appeler un numéro d'urgence. Je me décolle du mur, je jette un dernier regard à la scène, et je fonce à travers la neige et les arbres jusqu'à la route. Je remets le pistolet dans ma ceinture, j'ôte les chiffons de mes pieds et les jette du pont dans Kruc Creek.

Je garde le pistolet. Je ne supporte pas l'idée de le balancer. Lui et moi sommes liés à présent. Je prends le risque.

Mes oreilles tintent encore. J'ai appris une chose… j'ai besoin d'un silencieux. Cette détonation assourdissante chaque fois que j'appuie sur la détente, ça ne va pas.

J'arrive au magasin avec un quart d'heure d'avance, trempé et gelé. À mon entrée, Patate lève la tête.

« Jrest kadzeur ? » Est-ce que je veux qu'il reste jusqu'à deux heures ?

« Merci, non, c'est gentil. » Je tire deux billets de vingt et un de dix qui ont mariné dans ma poche et je les lui tends tout dégoulinants.

Il remercie d'un signe de tête, prend ses livres et disparaît. Il se fout éperdument d'où j'étais. De toute façon, il ne pourrait jamais témoigner contre moi. Il ferait tourner une sténotypiste juridique en bourrique. «Où était Mr. Skowran la nuit du meurtre?

– Issré tard kladi.»

Je m'assois, je me fais un café et je regarde dans le vide. Quand Tommy arrive, à sept heures du matin, mes cheveux sont secs, mon blouson est à peine humide, et je suis prêt à rentrer chez moi pour un sommeil réparateur.

Ç'a été si facile de tuer, si rapide. Je n'arrive pas à croire à l'effacement de ma dette de jeu plus huit cents dollars rien que pour ça. C'était rien. J'ai tué le chien instinctivement, et Corinne aussi. J'ai réagi face à la situation avec une efficacité que je ne me connaissais pas. Quand on est sans travail, ça devient difficile de s'évaluer parce que rien n'est jamais stressant. Eh bien, cette fois, ça l'était, et je m'en suis bien tiré.

Pourquoi une femme qui a entendu un coup de feu sortirait-elle une nuit de neige en déshabillé? Quelles ont été ses dernières pensées? C'est ce que je me demande en regardant la buée de mon haleine se dissiper dans l'air froid de mon appartement. Elle ne savait même pas que je me cachais contre la maison, son premier soupçon a été la balle qui est entrée dans sa tête. J'ai tout fait de travers, et pourtant ça s'est bien passé.

Je sais ce que j'ai à faire maintenant. Rien. Je ne ferai rien de tout ce que j'ai entendu dire à propos des meurtriers: qu'ils adorent signer leur œuvre d'une touche personnelle, qu'ils ne peuvent pas s'empêcher de retourner sur les lieux du crime, qu'ils se vantent de leurs meurtres devant leurs amis, découpent les articles qui les concernent et les affichent partout chez eux. Je ne téléphonerai pas non plus à Ken Gardocki. J'attendrai qu'il me joigne.

55

Je cache le pistolet dans mon placard. Garder cette arme, c'est peut-être la chose la plus stupide que j'aie jamais faite. C'est la seule chose qui me relie au meurtre, et dès qu'elle aura disparu, je serai en sécurité. Mais je la veux. Je la considère comme un outil de travail, et le travail est une affaire d'honneur. Ce que les types qui ont fermé l'usine n'ont jamais compris.

4

Lundi matin, cinq heures. Le livreur de journaux apporte son paquet, le lance devant le magasin et repart. Je me précipite dehors, je coupe la ficelle et je range les journaux dans le présentoir, puis j'en prends un pour voir si mon crime a bouleversé la ville.

Rien. En tout cas, pas en première page. On parle beaucoup d'un hôpital local qui ferme ses portes parce que plus personne ne peut payer, et d'un homme politique de Washington qui a trempé dans une affaire louche de détournement de fonds destinés à une grande cause quelconque. Jamais entendu parler de lui avant. Je reviens à la page deux. Rien. Des troubles au Congo et au Moyen-Orient. Il y en a toujours, non ? Je balance cette partie et je prends la section la plus mince, celle des nouvelles locales, où il y a les bandes dessinées. Rien en première page, c'est encore à propos de l'hôpital. Après avoir feuilleté huit pages d'articles sur les hôpitaux, qui sont censés me toucher, je suppose (qu'est-ce qu'ils s'imaginaient, que les directeurs de l'hôpital continueraient à aider les malades par pure bonté d'âme ? Nous savons maintenant que personne ne s'intéresse à nous, alors nous n'avons rien à foutre de ces conneries, donnez-nous un journal avec des bandes dessinées et du sport, et fermez vos gueules, arrêtez de nous lécher les bottes avec ce libéralisme qui est censé me faire m'apitoyer sur mon sort), je vois un petit article dans le coin en bas de la page neuf, intitulé : UNE FEMME ET UN CHIEN TUÉS PAR UN INTRUS. L'article, qui fait trois courts paragraphes, un de moins que celui du Congo, m'apprend qu'un voisin a découvert dimanche matin le corps de Corinne Gardocki, trente-neuf ans, sur les marches de sa cuisine.

Elle avait trente-neuf ans ? Je parie qu'elle n'aurait pas voulu que toute la ville le sache. Je la croyais nettement plus jeune. Le sergent Trucmuche déclarait qu'il s'agissait d'un homicide, au vu, j'imagine, de la blessure par balle à la tête. Il présumait qu'un voyeur (je ne vous permets pas !) était en train d'observer Mrs. Gardocki quand le chien de la maison l'a attaqué et que la violence s'est déchaînée.

Je ressens ma première pulsion criminelle, une envie insensée d'appeler ce flic et de le remettre à sa place, de lui dire que je ne suis pas un voyeur. Je suis un assassin respectable, merci beaucoup. Bien entendu, je surmonte cette envie, mais je me sens légèrement offensé. J'ai aussi une violente envie de retourner là-bas, regarder, voir à quoi ressemble l'endroit sans une femme et un chien morts sur les marches de derrière, avec le ruban de plastique jaune tout autour, ruban dont je suis le seul responsable. Il y a très vraisemblablement un flic devant la maison, qui attend que le criminel revienne sur les lieux du crime, comme ils le font presque tous, paraît-il. Maintenant je sais pourquoi. La force de cette tentation me surprend.

Je plie le journal et le remets dans le présentoir.

Tommy arrive à sept heures. Nous bavardons un instant. Il me dit que sa femme, Mel, a trouvé une place dans une compagnie d'assurances comme assistante d'administration. Je le félicite.

Il me dit : «On pourra peut-être même payer les factures de ce mois-ci.»

À l'instant où je passe la porte, il demande : «Jake, vieux, tu as tripoté le système de sécurité? Toutes les bandes indiquent vendredi.

– J'y ai pas touché. Je suis nul en technologie.»

Il hausse les épaules. «C'est peut-être Patate.»

Je hausse les épaules à mon tour. «À ce soir.

– À plus tard.»

Ainsi, mon seul acte suspect a été de bousiller le système de sécurité. Quelqu'un l'a remarqué. Que faire maintenant? Le bousiller encore davantage ou le laisser tranquille? Je me dis que le mieux serait peut-être de prendre la bande et de la jeter. Ou d'enregistrer par-dessus. Nous sommes censés conserver les bandes dans l'ordre, chacune dure vingt-quatre heures, et il y en a quatorze, ce qui permet de remonter sur deux semaines. Si je les mélange ce soir avec la bande incriminée, je n'aurais plus à m'inquiéter.

Je ne peux pas surmonter l'envie de passer devant chez les Gardocki. Au lieu de rentrer chez moi, je vais jusqu'à un kilomètre de la maison, je me gare dans une rue tranquille, et je me promène. Je veux passer devant la maison, pour voir s'il y a vraiment une voiture de flics. Ils ont peut-être installé une caméra de surveillance pour voir qui s'approche. J'arrive au pont sur Kruc Creek et vois non pas une, mais quatre voitures de flics plus un fourgon garés près du pont.

«Bonjour», je dis à un des flics. Il est debout à côté de sa voiture et boit du café dans un gobelet en carton. Il fait un signe de tête. Dans la rivière, je vois barboter deux autres flics en cuissardes.

Je demande: «Quelqu'un s'est noyé?

– Naan. On cherche seulement quelque chose.»

Je ne dis rien, je suis sur le point de m'éloigner quand le flic, parce qu'il s'ennuie, me donne spontanément des informations: «Il y a eu un homicide là-bas pendant le week-end. Un type qui passait par là en voiture nous a dit avoir vu quelqu'un jeter quelque chose dans la rivière, à peu près à l'heure du meurtre.»

Je prends l'air impressionné, bluffé par la compétence de la police. «Ben dites donc!»

Le flic paraît content de ma réaction. Il ne se pose pas de questions sur moi, il pense à lui-même, à impressionner le premier clampin venu avec les détails de son boulot. Je l'impressionnerais sacrément si je lui racontais que c'est moi qu'ils recherchent, mais je suis assez prudent pour me contenter de sourire et de hocher la tête.

«Bonne journée à vous.» Et je m'en vais.

«À vous aussi», dit-il en se prenant pour Clint Eastwood.

Il semblerait donc que ma décision de ne pas jeter le pistolet dans la rivière ait été la bonne, après tout. Quelqu'un là-haut me protège, peut-être le saint patron des tueurs à gages. Il était temps.

Le lendemain, alors que je suis prêt à passer le relais à Tommy, il me dit: «Il va y avoir un genre d'inspection.

Quelqu'un de la direction générale va venir examiner la marchandise, contrôler le magasin. Je crois qu'il note les employés. Tu devras lui parler.

– Quand ?

– Aujourd'hui. Ils viennent d'appeler.

– Ça doit être marrant. »

Tommy en doute. Ses traits sont tirés comme ils l'étaient à l'usine à la reprise des travaux agricoles. C'est un brave type, plein de bonne volonté, qui travaille toujours pour que lui et sa famille vivent mieux, qui se fait toujours avoir et s'en accommode. Au moment des licenciements, il a failli perdre sa maison, mais il a appelé la banque et ça s'est arrangé. Des bruits courent sur sa femme et un autre type de l'usine, mais elle et Tommy sont toujours ensemble. Il se débrouille. Il est en train de faire l'inventaire. Il a l'air d'avoir peur, il s'attend à une critique de la part de l'envoyé de la direction, qui est en route, et fait tout ce qui est en son pouvoir pour y échapper.

Le magasin est bénéficiaire, mais depuis les licenciements j'ai appris que ça ne compte pas. L'important n'est pas de gagner de l'argent. La question est : est-ce que vous gagnez autant qu'il est humainement possible, et sinon, pourquoi. Et ceux qui fixent les limites de l'humainement possible en matière de bénéfices, à partir d'idées complètement théoriques inspirées par les boissons ou les parties de poker nocturnes, décideront si Tommy fait du bon boulot selon les seuls critères de leurs marges bénéficiaires imaginaires. Que Tommy travaille plus de soixante-dix heures par semaine à nettoyer, tenir la comptabilité, passer les commandes, s'inquiéter, ne veut donc rien dire. Si les produits de la plus grande marque de boissons gazeuses ne sont pas suffisamment représentés et visibles de la rue, si les bénéfices ne sont pas optimisés, alors Tommy recevra des blâmes, il sera peut-être même sanctionné par un rapport d'inspection défavorable.

«Je peux faire quelque chose pour t'aider?»

Tommy me regarde, les yeux écarquillés tant il est inquiet. «Vérifie seulement que tout est propre. Là-bas au fond.

– Ça l'est, vieux. J'ai tout nettoyé cette nuit.

– J'ai besoin que tu restes encore un peu. Il faut que tu parles avec ce type. Il veut connaître tous les employés.

– Aucun problème.»

Il va et vient en marmonnant, déplace des boîtes, tourne les bouteilles de lait pour que les étiquettes soient visibles. Il y a toutes sortes de règles.

«La porte de la pièce de la sécurité est fermée à clef?

– Non, elle ne l'est jamais.»

Tommy s'affole: «Ne le lui dis pas. Dis-lui qu'elle est toujours fermée à clef.

– D'accord.» La pièce de la sécurité, où nous conservons les bandes, sert aussi de coin de repos, et si nous la fermions à clef, nous ne pourrions jamais faire de pause. La nuit, quand c'est calme, j'y vais manger un sandwich réchauffé dans le four à micro-ondes, lire le journal, m'asseoir un moment, loin des caméras de surveillance et des éclairages fluo. C'est contraire aux règles? Je m'aperçois soudain qu'en réduisant la brochure en poussière sans avoir lu jusqu'à la page trois j'aurais pu causer des ennuis à Tommy. Je dois apprendre les réponses à des questions prévues.

Je demande: «Autre chose que je devrais dire?»

Tommy hausse les épaules, il sourit même. «Sois simplement honnête.

– Toujours.»

Le type arrive à dix heures, avec une heure de retard, ce qui veut dire que j'ai dû rester une heure de plus. La première chose qu'il dit en entrant est: «Le casier d'*USA Today* est mal placé. Il devrait être à droite du *Courier*.» Il m'ignore derrière mon comptoir et serre la main de Tommy sans sourire, tout en jetant un coup d'œil autour de lui. Il est jeune, dans les trente ans, beau costume gris, cheveux impeccables, rasé de frais. Il a un regard critique, destiné à inspirer l'insécurité à ceux qu'il rencontre, et ma première pensée en le voyant est: est-ce que je suis présentable? Rasé? Est-ce que je suis aussi présentable que les mannequins sur la couverture de la brochure? Je me caresse le menton. Barbe de plusieurs jours.

Il me regarde en allant vers le fond avec Tommy. Il a un sourire glacé et inamical pour me demander: «Nous ne portons pas de blouse ici?»

Depuis que je travaille ici, je n'ai jamais vu une seule de ces blouses marron que les employés de Gas'n'Go portent sur la couverture de la brochure.

«Je vais lui en donner une», dit Tommy très vite. Il disparaît dans le fond et revient quelques secondes plus tard avec une blouse marron qu'il me tend. «Tiens, Jake.» Il me donne la blouse comme si nous l'avions cherchée partout.

«Essayez de faire en sorte qu'ils portent ces blouses» dit l'envoyé de la direction sur un ton léger, comme si ça n'avait aucune importance, mais en laissant entendre qu'en réalité il pense que c'est la chose la plus importante de la terre. Tommy hoche vigoureusement la tête et essaie de trouver une excuse, mais l'autre le fait taire, l'incident est clos, il n'y a plus rien à ajouter à propos de la blouse. Ils vont au fond. Je sors et j'intervertis *USA Today* et *Courier*.

Puis, pendant une heure et demie, je sers les clients en me demandant si ces deux-là ressortiront un jour, quand ce cirque sera terminé pour que je puisse rentrer me coucher. Quand ils sortent de leur entrevue, il est midi largement passé, et Tommy a l'air aussi tendu et tourmenté qu'au début.

«Jake, Mr. Brecht veut te parler à présent.» Tommy a l'air de craindre que je vende une mèche quelconque, que je lui cause involontairement des difficultés. Il essaie d'attirer mon regard comme pour confirmer que nous sommes liés, que je suis avec lui. Bien sûr que je le suis. Pourquoi cet affolement? Pourquoi ce type veut-il qu'il se sente comme ça? La nervosité et la peur font de quelqu'un un employé plus loyal? J'entre dans la petite pièce encombrée où le type est assis derrière le bureau de Tommy, qu'il a écarté du mur de façon à ce qu'il nous sépare, histoire de bien préciser le rapport qui existe entre nous.

«Mr. Skowran, dit-il en examinant mon dossier, qui ne peut pas être très épais. Il contient deux papiers, un relevé de retenues fiscales et un formulaire où j'ai inscrit mon nom et mon numéro de téléphone à la demande de Tommy. Je travaille ici depuis une semaine seulement et je n'ai pas encore reçu ma paie. Qu'est-ce qu'il y a à examiner?

«Ce que nous faisons ici est une inspection périodique des directeurs de magasin.» J'avais oublié que je figure dans le registre du personnel en tant que directeur adjoint. «Mais nous sommes particulièrement préoccupés par Huit Cent Dix-Huit.

– Par quoi?

– Huit Cent Dix-Huit.» Il me regarde, les mains croisées sur le bureau.

D'accord, j'abandonne. «C'est quoi Huit Cent Dix-Huit?

– C'est ce magasin.» Il n'en revient pas de mon ignorance. «Unité Huit Cent Dix-Huit de Gas'n'Go.

– Oh, le magasin.

– Oui, le magasin.»

– Qu'est-ce qui vous préoccupe tellement?» Je suis employé à plein temps, et pas du tout préoccupé. Quoi de tellement inquiétant dans une petite station d'essence qui vend de la bière et des sodas et qui est bénéficiaire?

«Nous sommes venus à cause de vos ennuis de la semaine dernière.» J'ai eu des ennuis la semaine dernière? J'essaie de me rappeler. Et je comprends qu'il parle sans doute du jeune qui s'est fait descendre par les flics quand il vendait de la drogue aux abords du magasin. «Le nom de Gas'n'Go a été mentionné à plusieurs reprises à propos de cet incident. Nous ne pouvons pas accepter ce genre de choses.»

Il me regarde d'un œil perçant en essayant de me mettre mal à l'aise, et moi je m'imagine en train de lui tirer dessus. Je me demande si cet homme a jamais aimé. J'en doute. Je doute aussi qu'il ait jamais été vraiment en colère. Le registre des émotions dont il dispose est limité parce que ce type est obsédé par la cupidité et par la conviction qu'elle est récompensée. Je suppose qu'il réussissait plutôt bien au collège, et qu'à un certain stade de son développement personnel il a appris qu'un caractère impitoyable rapporte gros. Il a peut-être eu une fois un boulot d'été auprès d'un homme qui ne s'intéressait qu'à l'argent et en gagnait énormément, et il a écouté ce que lui disait cet homme, il se le répétait peut-être même dans sa voiture pendant le trajet aller-retour. Il utilise probablement encore ses formules. Des formules du genre «Travailler

64

dur est la seule façon de payer les factures», et il confond travailler dur avec gagner agressivement de l'argent, il se considère comme un travailleur au sens le plus élémentaire du terme. L'humour, la passion, l'amour et l'art sont des perturbations. C'est le type d'homme qui dirigeait l'entreprise qui nous a tous licenciés. Il me demande finalement: «Mr. Skowran, prenez-vous de la drogue?

– Je ne peux pas me la payer.» J'ai pris un ton jovial en m'efforçant d'apporter un tant soit peu d'humanité dans la conversation. Il ne sourit pas.

«Il nous faut un échantillon de votre urine.» Il me regarde comme si cette nouvelle devait me terroriser. Il pense que cette conversation est pour moi une lutte pour mon emploi, pour ma vie. En fait, c'est lui qui joue la sienne. J'ai un pistolet chez moi et je viens de découvrir que j'aime m'en servir, et s'il m'insulte sans raison, il sera le premier de la liste que j'ai en tête, celle de ceux qui paieront de leur vie pour ce qu'on a fait à ma ville. Je ne l'aime pas, je n'aime pas son attitude, quelqu'un doit payer, et ce sera quelqu'un qui a exactement cette attitude-là. Demander à Tommy de déplacer les casiers des journaux avant même de s'être présenté, c'est une raison pour mourir? Et comment. C'en est vraiment une. Où est passée la politesse? Mais il n'y a pas que ça. Il y a cette volonté d'inspirer la crainte, d'être le mâle dominant. Qu'est-ce qu'il a fait pour mériter de contrôler deux hommes adultes comme Tommy et moi, si ce n'est se montrer capable de se comporter comme un requin assoiffé d'argent pour une compagnie qui a la même mentalité que lui?

Mais je dois agir avec prudence parce que je ne veux pas que Tommy ait des pépins. Face à sa demande d'échantillon d'urine, je réprime donc mon envie de lui demander s'il le veut tout de suite, en pleine gueule, et je hoche la tête tranquillement

« Nous faisons passer ce test à tous nos employés. »

Nouveau hochement de tête.

« Je vais vous donner un bon, et vous irez à l'hôpital cet après-midi donner un échantillon. Vous avez des explications sur le bon. »

Nouveau hochement de tête.

« Et je vais rester quelques jours. Pour être sûr que tout va bien. »

Dernier hochement de tête. « Parfait. »

Mon rendez-vous à l'hôpital est à deux heures de l'après-midi. Comme je travaille la nuit, ça correspond à un rendez-vous à deux heures du matin. Je dois prendre mon service à sept heures, parce qu'avec cet emmerdeur dans le circuit nous ne pouvons pas laisser Patate faire la nuit à cause des lois sur les mineurs. Résultat, je n'aurai pas dormi pendant près de quarante-huit heures.

Je me présente dans ce qui est probablement le lieu de travail le plus actif de cette ville. Secrétaires, réceptionnistes, femmes en blouse blanche qui courent dans tous les sens avec des fiches et des flacons de pisse. Ça fait du bien de voir que quelqu'un gagne de l'argent ici. La fille derrière le bureau regarde mon bon et me dit de m'asseoir. Je me suis à peine assis qu'une autre arrive. Le personnel semble être exclusivement féminin, ce qui en fait le meilleur endroit de la ville pour draguer, maintenant que presque tous les bars ont disparu.

« Mr. Skowran ? » Sa voix est dure et officielle.

« Oui ? »

– Vous avez votre bon ? »

J'échange mon papier contre un flacon en plastique. « Remplissez-le jusqu'à la ligne. Utilisez les toilettes numéro un. »

Elle s'éloigne, pétrie d'efficacité. Je pousse la porte avec un gros 1, je remplis rapidement le flacon, je visse le bouchon, j'essuie la pisse qui a coulé à l'extérieur, et je découvre que je ne peux pas me laver les mains parce qu'on a coupé l'eau. Je suppose que c'est pour nous empêcher d'en ajouter à notre urine et rendre ainsi la présence de drogue moins évidente. Je sors en tenant mon flacon et en me demandant à qui le remettre. La femme qui me l'a donné n'est plus là et les autres sont occupées. Une femme apparaît, des papiers à la main, et je lui demande qui s'occupe des échantillons, elle me répond « Heather » sans s'arrêter. Je reste planté là encore quelques minutes, ma pisse à la main. Je n'ai pas dormi depuis trente-six heures et on m'impose un test à cause d'un boulot à six dollars cinquante de l'heure qui me laisse trop fauché pour acheter de la drogue. Et si j'en prenais ? Une abominable erreur commise par un employé toxico dans le magasin d'une station d'essence mettrait la société en danger si je mettais un paquet de café de plus dans la machine ou si je déplaçais le steak haché ? Dieu me garde d'oublier ma blouse. Je pose le flacon d'urine sur le bureau de la réceptionniste : « Et voilà. Salut. »

Elle s'écarte du flacon comme si c'était un serpent vivant et m'appelle, mais je suis déjà dehors. Une furie en blouse blanche arrive sur le parking. « Vous ne pouvez pas faire ça. Vous devez attendre que…

– Merde. »

Je monte dans ma voiture, et en sortant du parking je vois la femme noter mon numéro d'immatriculation. Elle va appeler la police? Je vais être poursuivi pour avoir laissé de la pisse sans surveillance? Quelque chose de fondamental dans ma tolérance vis-à-vis de la connerie et dans mes qualités relationnelles a changé depuis que j'ai flingué Corinne Gardocki. Les règles selon lesquelles j'ai vécu toute ma vie, les règles de conduite, se désintègrent sous mes yeux. Je les vois telles qu'elles sont, un système soigneusement conçu pour me maintenir dans le rang, pour m'empêcher de demander plus, comme Oliver Twist. Maintenant que j'ai quitté le rang de la pire façon, il n'y a vraiment pas de raison pour que j'y reste dans les petits détails. Si cette femme me cause des ennuis, je lui explose la cervelle. Teste-moi ça, poufiasse. Je rentre dormir. Vas-y, appelle le magasin, dénonce-moi à l'envoyé de la très haute direction. Je n'aime pas beaucoup ce type. De toute manière, il sera mort dans deux jours.

À l'instant précis où je remonte le drap sur ma tête, on frappe à la porte.

Bon Dieu, qui ça peut être? Financially Consolidated Finances ou je ne sais quoi aurait décidé de faire des visites à domicile maintenant? Les flics me recherchent à cause de l'incident de la pisse? Je sors de mon lit en bougonnant furieusement, j'ouvre la porte et me trouve face au visage grêlé du type qui m'a donné le pistolet au magasin, toujours avec son blouson des Packers. L'acolyte de Ken Gardocki.

«Ken veut te parler.

– Quand?

– Pourquoi pas maintenant?

– J'ai pas dormi depuis des jours.

– Il a de l'argent pour toi.

– On y va.»

Il entre et me surveille attentivement pendant que je m'habille. Il vérifie que je n'ai pas de micro?

Il a recommencé à neiger. Je descends et je saute dans le 4x4 de Ken Gardocki, où le chauffage est mis à fond et où une sono parfaite fait retentir un CD de Kenny G. C'est comme être dans un autre monde, clos, sûr, derrière un mur de fric contre les éléments. Je veux ça, le 4x4, la sono, les sièges baquets, et même le maudit CD de Kenny G. C'est ce que j'avais avant la fermeture, ce que j'avais gagné. Je n'ai rien contre ma Honda Civic de vingt et un ans, mais les vitres ne remontent pas, la radio ne marche pas, et c'est difficile de retourner en arrière. Je m'en rends compte en me détendant dans le siège baquet quand nous prenons la grand-route. Quand on a possédé une chose, on croit la mériter toujours.

Je demande au visage grêlé: «C'est une Cherokee?

– *Grand* Cherokee.» Il regarde la route d'un air morne, concentré sur sa conduite dans ce mauvais temps qui empire. Qui c'est ce type? Je ne l'ai jamais vu en ville. S'il est un tel bras droit pour Gardocki, pourquoi ce n'est pas *lui* qui tue pour *lui*?

Je lui demande: «C'est quoi ton nom?»

Il ne répond pas. Il cherche un panneau indicateur. Il ne connaît pas le coin si bien que ça, il n'est pas d'ici.

Il demande: «C'est la sortie 31?» Il y a environ trois secondes, nous sommes passés devant un énorme panneau annonçant «sortie 31». Le grêlé sans nom n'est pas le caribou le plus dégourdi de la harde. Je n'ai aucune envie de supporter plus longtemps ce numéro du silence, alors je décide de le harceler jusqu'à ce qu'il me parle.

Je lui réponds que oui et il tord le volant, nous fait faire une embardée et prend de justesse la sortie sans heurter la barrière en béton. «Je t'ai demandé ton nom.

– En quoi ça t'intéresse?

– D'accord. Où on va?

– Tu verras bien.»

Il y a quelque chose chez ce type que je ne pige pas. On dirait que pour jouer son rôle de bras droit de Ken Gardocki il se fonde sur des années de télé. Il a appris comment un acolyte doit se comporter en regardant *Rockford Files*. Pourquoi ne veut-il pas me parler?

Je remarque que nous prenons des routes de moins en moins importantes, que nous arrivons dans la campagne. Les arbres ont remplacé les constructions. Ce serait un endroit idéal pour se débarrasser d'un corps, par exemple celui de quelqu'un qui vient de commettre un meurtre pour vous et que vous voulez faire taire pour de bon. Je me demande s'il y a par ici une tombe fraîchement creusée qui m'attend. Mais si cet imbécile est là pour me tuer, alors pourquoi ne pas avoir tué Corinne Gardocki? Et lui et Ken m'auraient laissé en dehors du coup. J'observe soigneusement le Grêlé et je me demande s'il a une arme. Si oui, je serai prêt. Je la lui arracherai et je mettrai quelques balles dans son vilain crâne d'abruti avant qu'il puisse...

«C'est ça», dit-il en roulant sur le gravier du parking d'un petit bar, difficile à repérer même de la route, caché de tous les côtés par de gros arbres couverts de neige. Quelques pick-up sur le parking se poudrent de blanc. Sur la façade du bar, il y a des enseignes de bières qui clignotent, mais apparemment pas de nom.

Il se gare, coupe le contact et sort sans un mot. Il se

dirige vers le bar et s'aperçoit que je suis encore dans la voiture. «Tu viens?» Il entre.

Qu'est-ce qui ne va pas chez ce crétin? Les acolytes sont censés avoir des manières, non? M'ouvrir la portière. Je sors de la voiture et j'atteins l'entrée juste au moment où il me claque la porte du bar au nez.

À l'intérieur, le bar est mieux éclairé et plus animé que je l'imaginais. Ken Gardocki joue au billard avec des types plus âgés de l'usine dont je me souviens, et ils me font un signe de tête quand je m'approche de la table.

«Jake!» Ken sourit et me serre la main avec une chaleur et une exubérance auxquelles je ne m'attendais pas. «Content de te voir.» Il me conduit vers un box, et le Grêlé fait mine de venir avec nous. Gardocki se tourne vers lui. «Hé, Karl, pourquoi tu jouerais pas à ma place pendant que je bavarde avec mon ami Jake.» Karl. C'est donc son nom. Il a l'air déçu de ne pas se joindre à nous, mais il va à la table de billard et prend une queue tout en nous regardant nous asseoir.

Je lui demande: «Quel est son problème à ce type?

– Qui ça, Karl?» Gardocki rigole. «Rien, tout va bien. Il est pas très malin. Je lui fais faire des courses, mais rien d'important.

– Tu l'as rencontré où? Je l'avais jamais vu par ici avant.»

Gardocki ne veut pas parler de Karl. Il tire une enveloppe de sa poche et me la donne. «Du bon boulot».

– Merci.» Pour la première fois depuis des mois, mon travail a été apprécié. Gardocki me regarde avec la même intensité qu'à notre première conversation. «Ça t'intéresserait d'en avoir davantage?

– Davantage de quoi?» Ça me prend une seconde. «Davantage de travail? Du même genre?»

Gardocki ne dit rien.

«Je pense que oui.» Je réfléchis une seconde. On peut donc trouver du travail dans cette ville, après tout. On me propose de travailler, c'est super, non? «Même salaire?

– Nous verrons si tu peux avoir une augmentation. Cette fois il faudra voyager.

– Voyager?

– Tu es déjà allé à New York?»

Waouh. C'est trop beau pour être vrai. Des vacances payées. J'en aurais bien besoin. «Non, jamais.

– La semaine prochaine, ça te va? Tu peux te libérer au magasin?

– Bien sûr.» Je commence à m'habituer à sa façon de me montrer qu'il connaît chaque détail de ma vie.

«Ce coup-ci ça pourrait être difficile.

– J'aime les défis.»

Gardocki me fait un grand sourire. «Prends ton jeudi et ton vendredi. Je m'occupe de tout. Tu auras deux mille cinq cents dollars pour commencer, je t'en donnerai probablement cinq mille de plus après. «C'est pour un ami de New York. On s'échange des services.

– Super.

– Alors je compte sur toi?

– Absolument.»

Nous nous serrons la main. «Karl va te raccompagner.»

Gardocki retourne à la table de billard et parle à Karl. Karl regarde de mon côté, puis il se dirige vers la voiture. Je suis censé le suivre. En sortant, je reçois encore une fois la porte dans la figure.

Je dors une heure avant de retourner au magasin pour relever Patate à sept heures. Il porte la blouse marron de

Gas'n'Go, ce qui veut dire que notre ami le grand chef est toujours dans nos murs. Contrairement à son habitude, Patate ne fait pas ses devoirs au comptoir et il regarde droit devant lui comme un garde du palais de Buckingham.

Je m'approche du comptoir et vois une carte de visite près de la caisse. James Brecht. Il n'a jamais pris la peine de se présenter.

Patate ne réagit pas en me voyant. Brecht a dû lui parler de l'excès de paroles, ou Dieu sait quoi. Parler avec les autres employés est peut-être déconseillé par le manuel. Mais le manuel a été réduit en poudre. Peu importe, Brecht me reçoit avec un nouvel exemplaire dès que j'entre dans le bureau-pièce de sécurité pour suspendre mon manteau. Et mettre la blouse qu'il tient de l'autre main.

« Salut, Jim », dit-il en passant devant moi avec un bloc et en me faisant signe de le suivre. Il tapote sa montre et me la met sous le nez. Sept heures six. « Essayons d'arriver à l'heure, OK ? Nous avons beaucoup à faire ce soir. » Il me conduit au présentoir de chips et en-cas salés, un de nos grands succès. « Tous les produits Wenke doivent être sur l'étagère supérieure, d'accord ? J'ai besoin que vous vérifiez tout le magasin et que vous mettiez les produits Wenke sur les étagères supérieures, saucisses, chips, tout. Nous devons les placer bien en vue. » Il a l'air agacé un instant, puis il ajoute : « Nous envoyons des notes à Tommy là-dessus depuis des semaines, mais rien n'a été fait.

– Wenke sur l'étagère. » J'enfile ma blouse. « Vérifier.

– Je vais assurer quelque temps la direction pendant la journée.

– Il est arrivé quelque chose à Tommy ?

– Il vous rejoindra derrière le comptoir jusqu'à ce qu'il prouve qu'il est capable de diriger ce magasin. » Brecht ne veut pas me fournir davantage de détails et commence à réciter d'autres consignes à propos du stock.

«Vous avez rétrogradé Tommy? Au poste de vendeur?»

Brecht ne veut pas en parler. «Nous sommes parvenus à un accord», dit-il en me montrant ses paumes ouvertes, le geste de l'amitié et de la paix censé calmer ceux qui sont en colère. Je ne suis pas en colère, seulement curieux et inquiet pour Tommy, et ce geste me déplaît. Je fais semblant de l'écouter pendant qu'il parcourt le magasin et me décrit ce que je dois faire, et je me demande quand il rentrera chez lui.

«Kenneth», Brecht appelle Patate qui continue de regarder droit devant lui.

«Oui? crie Patate.

– Jim est là, tu peux partir.

– C'est Jake.»

Brecht me regarde longuement comme s'il s'imprégnait de cette information jusque dans les replis les plus profonds de son cerveau. Ses yeux m'assurent qu'il ne refera jamais cette erreur. Jamais. Il répète: «Jake.»

Patate sort sans un mot et Brecht dit à voix basse, sur le ton de la conversation: «Avez-vous déjà remarqué que ce garçon est difficile à comprendre?»

Je secoue la tête.

Brecht hausse les épaules et continue à me conduire dans les allées. «Oh, fait-il avec désinvolture tout en déplaçant un paquet de chips Wenke du niveau du sol à l'étagère d'en haut. Y a-t-il eu un problème au centre d'analyses?

– Non, aucun problème. J'ai dû attendre longtemps. J'avais besoin de…

– Il me faudra le résultat négatif du test.

– Vous l'aurez. »

Deux heures et demie plus tard, Brecht est toujours là. Il est retourné dans le bureau. J'ai déjà fait presque tout de ce qu'il m'avait demandé pour ce soir et je sortirais bien me fumer une cigarette si je ne courais pas le risque qu'il me surprenne et me fasse un discours protecteur de cinq minutes. Il m'appelle dans le bureau. Il est dans l'obscurité, il y a juste une petite télé en noir et blanc qu'il a apportée. Il regarde les vidéos des caméras de surveillance de la semaine dernière, comme un entraîneur de football qui étudie l'enregistrement d'un match. Je m'attends à ce qu'il ait planté un tableau quelque part avec des x et des o, des plans de match pour que nous puissions mieux servir le client.

Bon sang. Il a remarqué que j'ai trafiqué les dates des caméras. Il sait que Patate a travaillé de nuit à ma place. Il sait, il sait, il sait. Il sait tout.

« J'ai regardé des vidéos de la semaine dernière.

– Oui ? »

Il appuie sur *play*, et on voit une image de moi, derrière le comptoir. Je ne peux pas lire la date et l'heure. « Vous voyez la même chose que moi ?

– Moi derrière un comptoir ? »

Brecht ôte ses lunettes. « Jake, j'ai regardé toutes les vidéos de la semaine dernière. » Il me regarde, très sérieux, et je lis dans ses yeux qu'il connaît tous mes crimes. Il a réussi à recoller toutes les pièces, la surveillance bidouillée, les articles sur le meurtre, tout. « Sur toutes ces vidéos de la semaine dernière, je ne vois pas un seul employé porter une blouse. »

Porter une quoi ? C'est ça que ce type faisait dans cette pièce ? Le soulagement me délie la langue. « Nous ne portions pas de blouse avant votre arrivée.

– Tommy m'a dit que vous la portiez », dit-il d'un air excédé.

Mon Dieu, qu'est-ce que j'ai fait ? En essayant de me tirer d'affaire j'ai mis Tommy dans le pétrin. Il voit que je suis toujours sur le seuil. « Merci, Jake. Retournez devant. »

Brecht s'en va enfin à deux heures du matin. Au moment de partir, il pose sa veste sur le comptoir pour retourner dans le bureau prendre quelque chose qu'il a oublié. Je glisse la main dans une poche et en tire une carte d'accès à un hôtel, Kellner Suites. Je sais où c'est, à environ cinq kilomètres sur la 40. Il sort du bureau et je laisse la carte tomber dans sa poche.

Dès qu'il est parti, je m'endors. Jusqu'à ce que Tommy arrive à sept heures, il n'y a pas un client. Ou peut-être que si, et ça ne m'a pas réveillé. Nous le saurons quand nous regarderons la vidéo.

5

Je retourne au magasin à dix-neuf heures pour mon service de nuit et Tommy m'attend avec ma première paie.

Quatre cent dix-huit dollars nets. Ça ne paraît pas beaucoup pour deux semaines de travail non-stop, mais je vais récupérer ma télé chez le prêteur sur gages. Avec en plus les huit cents de Ken Gardocki, je peux payer le loyer, rallumer le chauffage et peut-être même me trouver un petit bouquet numérique pas trop cher.

Et les choses s'arrangent. Tommy, qui a été rétrogradé jusqu'à ce qu'il se ressaisisse et apprenne à diriger un Gas'n'Go correctement, doit engager quelqu'un d'autre pour le service de nuit. Brecht lui a dit que je travaillais trop et que ça me rendait grincheux. Il ne sait pas que Tommy m'avait établi des horaires très lourds pour me rendre service, parce qu'il savait que j'étais fauché. Brecht y a mis le holà. Il m'annonce que je n'assure pas convenablement le service des clients et me propose quelques jours de repos. C'est parfait, ça me permet d'aller tuer quelqu'un à New York pendant le week end.

« Tu peux prendre ta soirée », me dit Tommy. Ça m'arrange, je suis vanné. Mais il se passe de drôles de choses ici. « Je suis suspendu ?

– C'est pas une suspension, Jake, tu as besoin de te rep…

– Quelle ordure, ce type.

– Jake, du calme. J'ai besoin de ce boulot. Pour Mel et Jenny. C'est tout ce qu'il y a en ce moment. Tu sais comment c'est. Et puis c'est vrai que tu as besoin de repos. Regarde-toi. Tu as dormi presque toute la nuit. Brecht a vu la vidéo.

– Putain de vidéo. Bon Dieu, nous sommes surveillés par une vidéo. Ça ne te rend pas dingue ? Sept dollars de l'heure et on nous surveille ? Qu'est-ce que nous sommes, des souris de laboratoire ? »

Tommy me regarde sans répondre. Je pousse un soupir. Il a sans doute raison. J'ai plus de mille dollars à présent et je n'ai pas bu de bière depuis des semaines. Je prends ma paie, mais avant de sortir je demande : « Je reviens lundi, d'accord ? J'aurai encore du boulot ? »

Tommy fait signe que oui, heureux que je m'en aille sans faire d'histoires. «Lundi. Je te promets.»

Je vais chez Tulley prendre une bière.

Comme tout le reste dans cette ville, le bar de Tulley a fait son temps. C'est un bar en sous-sol, à un kilomètre environ de l'entrée de l'usine, qui avant les licenciements était bondé tous les soirs, mais ça n'est plus qu'un bar qui paraît beaucoup trop grand. Sur le parking de cinquante voitures il n'y a jamais plus de trois ou quatre vieilles caisses.

Après les licenciements, j'ai cessé quelque temps d'y aller, pas parce que je n'avais pas d'argent, mais parce que je ne supportais pas ce vide. C'était un rappel trop triste de ce qui nous était arrivé. Chaque tabouret, chaque box avait son histoire. C'est là que Tommy a fait la connaissance de Mel, c'est ici que j'ai rencontré Kelly. C'est sur ces tabourets que Tommy, Jeff Zorda et moi étions assis le dimanche pour regarder les Packers. À présent tous les boxes sont vides, et ce vide révèle une vérité. Ils étaient moches. Le bar était moche, les boiseries étaient merdiques. Il n'y avait réellement rien d'agréable là-dedans, sauf l'idée que des gens s'y étaient amusés pendant des années.

«Jake? Je t'ai pas beaucoup vu par ici ces derniers temps. Qu'est-ce que tu deviens?»

Le gros Tony Wolek est le barman et le directeur, un buveur de cent trente kilos, usé, qui a subi une énorme perte de salaire quand l'usine a fermé. Pour se refaire, il doit maintenant travailler tout le temps et il a l'air à peu près fini. Il m'apporte ma Budweiser et un verre en respirant difficilement. Il y a des mois que je ne suis pas venu, mais il se souvient de ma marque de bière et comment je la bois. Quand il pose la bouteille devant moi, je me dis que cet homme va bientôt mourir. Il a la peau grise, ses yeux bordés de rouge regardent dans le vague. Il a cinquante ans à peine.

«Comment ça va, Tony? Ils te font bosser dur?

– Je travaille sans arrêt, maintenant. Je suis obligé, pour payer les factures.

– Je sais de quoi tu parles.

– Qu'est-ce que tu fais à présent? Tu as un boulot?

– Gas'n'Go.

– Ah oui?» L'idée d'un changement de carrière paraît l'intriguer. «C'est bien payé?

– Tu veux rire. Cinq soixante-quinze au début. Mais ils embauchent.»

Il réfléchit une seconde et secoue la tête. «Je peux probablement faire mieux ici.» Comme il croit m'avoir insulté il ajoute vite: «Pas beaucoup mieux, mais mieux.»

Je rigole. Oh oui, et est-ce que je t'ai dit qu'à présent je suis payé pour tuer des gens? Le gros Tony voudrait probablement le boulot. Ne pas devoir rester debout tout le temps sur ses pauvres pieds fatigués, gagner une somme décente en liquide pour une fois. En me taisant à propos de mon boulot de tueur je cherche moins à me protéger qu'à le préserver des hordes qui pourraient me le prendre. Je conclus: «C'est dur pour tout le monde.

– Ainsi soit-il.» Il prend mon billet de cinq. Je lui dis de garder la monnaie. Il a l'air surpris, et je me rends compte que j'aurais pu commettre une erreur, révéler ma nouvelle fortune aux clients du bar. Mais il me remercie d'un signe. J'ai toujours laissé de bons pourboires.

J'en suis à ma septième ou huitième bière quand Jeff Zorda entre et s'assoit à côté de moi. Au journal télévisé, on parle encore des fermetures d'hôpitaux.

«Alors, vieux, c'est comment au Gastric?

– Gas'n'Go. Ça va. Et le vol de câble, ça roule?

– Lentement mais sûrement. Si t'étais pas un incorruptible, je te demanderais d'être mon associé.»

Je souris. «Un incorruptible? C'est ce que je suis?

– Ouais. Jake l'Incorruptible. Tous les chefs de service du chargement trafiquaient, recevaient des pots-de-vin ici ou là pour fournir davantage de marchandises. Pas toi.»

C'est une nouveauté. Aucun des distributeurs ne m'a jamais rien demandé ou ne m'a offert de pots-de-vin. J'avais peut-être ma réputation, et ils me laissaient tranquille. Je suis bizarrement flatté par cette image de Morality Jake que d'autres ont créée.

Jeff regarde la télé. On parle du meurtre non élucidé de Corinne Gardocki en montrant une vieille photo d'elle, où elle sourit innocemment. C'était une belle femme. D'après le reporter, le crime a terrorisé le voisinage. Une vieille femme bouleversée raconte qu'elle est paniquée depuis qu'une de ses voisines a été tuée.

«Ken Gardocki a payé quelqu'un pour la tuer», dit Jeff presque sur le ton de la conversation.

J'émets un grognement pour cacher ma surprise. «Ken? Allons donc.

– Il l'a fait, j'en suis sûr.

– C'était juste un voyeur.» Je me demande d'où il a tiré cette information.

«Environ deux semaines avant que quelqu'un la tue, Ken m'avait demandé de le faire.» Jeff sirote sa bière et sourit. «Je suppose que le type suivant a accepté.»

Je me sens blêmir. Je croyais être le premier. Ken m'a dit qu'il fallait que ce soit moi, qu'il en était certain. À combien d'autres encore il l'a proposé avant d'arriver à moi?

«Pourquoi tu as refusé?» J'essaie de paraître à l'aise. «Combien il t'a offert?

– Dix bâtons, répond Zorda. Pourquoi j'ai refusé? Tu plaisantes? Je vais pas me mettre à tuer des gens pour du fric. Enfin, peut-être une petite saloperie de temps en temps, mais je suis allé à l'église quand j'étais gosse. J'ai été bien élevé.»

J'apprends ce qu'a été la bonne éducation de Zorda. Plus tard dans la soirée, il m'explique qu'il est entré comme bénévole dans le service d'ambulance, ce qui lui permettait d'entrer chez les malades et les mourants. Quand les vieillards qui vivaient seuls étaient transportés à l'hôpital pour y séjourner, il revenait à leur domicile le lendemain et le pillait. Il prenait les cartes de crédits, les médicaments, tout ce qui avait de la valeur. Apparemment, à l'église, quand on lui avait dit que c'était mal de tuer, on avait accepté ça.

Je suis de retour chez moi, beurré et furieux. Je veux appeler Ken Gardocki et l'engueuler, mais je sais que je ne peux pas le joindre. Au nom du ciel, pourquoi a-t-il essayé d'engager Zorda avant moi? Je suis plus intelligent que ce nul, et plus digne de confiance. Morality Jake, c'était mon nom. Ça pouvait être ça, Ken a sans doute pensé que j'étais trop incorruptible pour seulement envisager une telle proposition. Ouais, ça devait être ça. N'empêche, la prochaine fois que je le verrai, il va m'entendre.

Et pourquoi a-t-il offert à Zorda deux fois plus qu'à moi? Je suis trop en colère pour penser droit. Il est presque minuit. J'attrape le pistolet dans le placard, j'enfile mes gants, je prends des chiffons, des sacs en plastique et un petit coussin, et je sors dans le froid.

Kellner Suites est à cinq kilomètres. Il neige de nouveau, mais seulement un peu de poudre, pas assez pour empêcher les voitures de circuler, mais assez pour que les petites rues paraissent tranquilles. Je vois passer des voitures et je me demande qui est dedans, si quelqu'un m'a remarqué. Quelqu'un a déclaré que j'avais jeté des chiffons dans la rivière la semaine dernière, donc des gens surveillent. Ils surveillent tout, tout le temps. Il y a des yeux partout. L'astuce, c'est de ne pas se faire remarquer. Je marche sans me presser, rien en moi ne doit permettre qu'on s'en souvienne, je ne suis qu'un type en route vers un endroit sans importance.

Quand j'aperçois le panneau des Kellner Suites au bord de la route, je me baisse entre des arbres pour envelopper mes pieds dans les chiffons. J'enfile ensuite les sacs en plastique par-dessus et les noue autour de la cheville. Je ne veux pas avoir de boue sur mes bottes. Il existe différentes sortes de boue, un scientifique dans un laboratoire pourrait identifier sur mes bottes celle du parking des Kellner Suites, et ce serait la fin de ma carrière. Les sacs en plastique font quand même du bruit, un froissement et un bruissement à chaque pas. La prochaine fois il faudra trouver une solution. Peut-être des sacs de toile que je jetterai après. En tout cas je ne m'achèterai pas des bottes neuves à tous les coups. J'ai mis des mois à briser celles-là.

Je retourne sous les arbres au bord du parking et je

cherche la voiture de Brecht. Depuis le début de ma carrière de tueur à gages, j'ai remarqué que presque tous les bâtiments ont un quelconque recoin où se cacher. Il y a tant de bâtiments abandonnés et de façades croulantes par ici que cette ville est particulièrement bien pourvue en cachettes. Cette fois encore, je constate que le meilleur endroit est l'obscurité des arbres. Je ne vois nulle part la voiture de Brecht. Il travaille encore tard, il forme peut-être sa nouvelle recrue. Une voiture s'avance sur le parking illuminé et va jusqu'à la porte, je m'accroupis. Ça n'est pas Brecht. J'entends des petits rires, un jeune couple descend et entre dans une des chambres du rez-de-chaussée.

Je me rends compte qu'il va y avoir un problème. Brecht se garera sûrement juste devant le bâtiment bien éclairé. Avec toutes ces places vides près de la porte, pourquoi irait-il se garer dans l'obscurité près des arbres ? Non, il se garera sous la lumière, autrement dit je vais devoir attendre sous la lumière. Ou traverser tout le parking éclairé avec des sacs en plastique bruyants aux pieds, lui tirer dessus, puis courir de la même manière dans l'autre sens, ce qui équivaudrait à rameuter des témoins.

Brecht arrive sur le parking et se gare contre le bâtiment.

Je m'avance sur le parking et je me fige. Merde. Je ne peux rien faire. Ce serait trop risqué de courir vers lui maintenant et lui tirer dessus dans sa voiture. S'il m'entendait venir ? Alors…

Brecht ouvre la portière et s'élance vers sa chambre en laissant le moteur tourner et la voiture ouverte. Il utilise sa carte d'accès et se précipite à l'intérieur. Pendant une seconde de panique je crois qu'il m'a vu, qu'il a parfaitement compris ce que je fais là, et qu'il court se mettre à l'abri. Mais il laisse aussi la porte de sa chambre entrouverte. J'ai pigé.

Brecht avait besoin de pisser.

Ou peut-être de chier. Qui sait. Ce qu'on mange au magasin fait souvent cet effet. En tout cas, je cours, je fonce à travers le parking, une trentaine de mètres, je fais ça en moins de dix secondes, en évitant de glisser sur la glace et la neige, mes pieds plastifiés crissant follement. J'atteins la porte de Brecht et la pousse. J'entends le bruit caractéristique d'un jet d'urine. Il grogne un peu. J'entends ensuite une chasse d'eau.

Je ferme la porte derrière moi et j'attends qu'il sorte de la salle de bains.

Brecht en sort en refermant sa braguette. Il a les yeux baissés, mais il m'aperçoit dans sa chambre, un pistolet braqué sur lui, et s'immobilise.

«Qu'est-ce que vous faites?»

Bang!

Des morceaux de coussin s'envolent partout. NOM DE DIEU! Le coussin n'a servi à rien de rien. Mes oreilles tintent de nouveau. Le truc du coussin qu'on voit dans tous les films policiers ne vaut rien. Ça ne sert qu'à bousiller un coussin tout à fait convenable. Je remarque aussi la fumée provoquée par un seul coup de feu. On dirait qu'une bombe a explosé dans cette pièce. La dernière fois que j'ai tué quelqu'un c'était à l'extérieur. J'avais senti l'odeur, mais la fumée s'était volatilisée et je ne l'avais pas remarquée.

Brecht est couché par terre, la tête près du mini-bar. Ses lunettes sont de guingois. Il a les yeux fermés. S'il n'est pas mort, c'est une bonne imitation.

Il y a beaucoup de sang sur le mur derrière nous, mais

je n'en ai pas reçu. Des flocons de rembourrage se déposent un peu partout dans la pièce silencieuse. Je le regarde quelques instants, plongé dans des pensées philosophiques sur lui à présent par rapport à lui dix secondes avant: la seule différence ce sont ces quelques grammes de plomb qui lui ont traversé la tête et qui ont tout changé. Mon ouïe revient et j'entends le moteur de la voiture qui tourne dehors.

J'ouvre la porte de la chambre. Excepté ce moteur qui tourne, le silence est complet sur le parking, personne aux alentours. Je referme doucement la porte derrière moi, je ferme la voiture en laissant les clefs sur le contact. J'aperçois sa mallette sur le siège du passager, je la prends, je ferme la portière et je m'en vais.

D'accord, c'est idiot. Chaque fois que je tue quelqu'un je fais quelque chose d'idiot. La dernière fois j'ai gardé le pistolet, cette fois je vole une mallette. Pourquoi je fais ça? Je retourne sur la route avec un pistolet qui a tué deux personnes et un chien, et j'ai une mallette. Si un flic s'arrêtait et me demandait ce que je fabrique sur la route à deux heures du matin avec une mallette, je serais foutu. Je dois m'en débarrasser, mais où? Il faut que je trouve un endroit où me cacher et me calmer.

Je traverse la route, et de l'autre côté j'arrive à l'arrière d'un centre commercial discount abandonné. Il y a des poubelles partout. C'est trop beau. Le premier endroit où les flics fouilleront pour trouver ce qui a été jeté. Je me débarrasse du plastique et des chiffons et je les jette. Des chiffons et des sacs, rien de très compromettant. Je constate que mes bottes sont propres, pas de trace de boue. Très bien. Ensuite, près de la poubelle, je décide d'ouvrir la mallette.

Elle contient des tas de dossiers, des stylos, des calculatrices et… une revue cochonne. Je la feuillette. En matière de porno, c'est du bas de gamme, les filles sont d'anciennes strip-teaseuses ravagées et le papier est à peine meilleur que du papier journal. Pourquoi Brecht, qui manifestement pouvait s'offrir *Playboy* ou *Penthouse*, est-il tombé aussi bas? C'était ça son truc? D'anciennes strip-teaseuses ravagées qui écartent les lèvres de leur chatte pour un examen gynécologique en noir et blanc? Il faut croire. Chacun ses goûts. À la poubelle. Le reste retourne dans la mallette.

Je marche jusqu'au bout du centre commercial et regarde autour de moi. Rien que la neige qui tombe sur un parking envahi de mauvaises herbes. J'arrive dans la rue, je la traverse, et je me trouve dans un secteur résidentiel déclinant où il semble que tout le monde ait un chien. Chaque fois que je passe devant une maison, un nouvel animal se met à aboyer. Je descends une côte et passe devant une station d'essence, qui est fermée. Mais elle a aussi une poubelle, presque pleine. J'enfonce le pistolet au milieu des sacs d'ordures, je traverse encore quelques rues et je jette la mallette, mais je prends d'abord les dossiers. Je ne peux pas m'en empêcher. Quoi de plus fatal que de se balader avec les dossiers d'un homme récemment assassiné? Je fourre les dossiers sous mon blouson et je continue à marcher vers chez moi.

J'arrive chez moi, je débouche une bière et m'installe pour lire quelques dossiers. Mon travail de nuit a chamboulé mon rythme de sommeil. À présent j'ai envie de rester debout toute la nuit et de me coucher le matin.

Dossier numéro un… Rien qu'une poignée de factures

de fournisseurs. Je le pose soigneusement sur le tas de journaux que je dois emporter à la décharge pour le recyclage. Le dossier numéro deux est à peu près pareil et semble contenir beaucoup de papiers personnels, quittances, etc. Le numéro trois est ce que je cherchais, un rapport sur son intervention dans le magasin. La première page est une liste de ce qu'il a réalisé depuis son arrivée. Fait respecter notre accord avec Wenke pour rendre leurs produits plus visibles, bla-bla-bla. Puis quelques copies de relevés de nos heures de travail. Et... bingo!... les dossiers personnels.

Voici ce qu'il dit à propos de Tommy:

Tommy Waretka, directeur du magasin, a été employé d'usine et conviendrait mieux à son ancien travail. Il lui manque l'ambition et le sens du commandement requis pour devenir directeur général ou être promu dans l'entreprise. Il ignore les directives et permet aux employés de gérer le magasin. Je l'ai rétrogradé et lui ai dit que le changement n'était que temporaire, mais je préférerais qu'un directeur plus ambitieux soit engagé pour permettre au magasin d'être plus performant.

Un autre dossier.

Kenneth Prezda est un jeune homme assez responsable qui manque de qualités relationnelles pour gérer Gas'n'Go. Je préférerais le voir à un poste essentiellement de gardiennage, pour lequel il me paraît plus indiqué. Nous pourrions peut-être le transférer au magasin Wolsely et lui donner un emploi n'exigeant pas de contact avec les clients. T. Waretka lui payait plus d'un dollar en trop de l'heure. J'y ai remédié.

Et enfin…

Jake Skowran est un ancien chef de service en usine qui se trouve trop bien pour travailler dans ce magasin. Il est intelligent et, à mon avis, dangereux. J'ai l'impression qu'il pourrait être un ami de T. Waretka, et je ne vois pas pour quelle autre raison celui-ci l'aurait engagé. Ses capacités à servir la clientèle sont limitées et il n'aime pas l'autorité. Je crois que c'est un grand drogué (il a refusé de passer le test anti-drogue et a fait une scène à l'hôpital) et il est probablement à la tête du trafic de drogue dans le quartier. Je crois qu'il en vend encore aux abords du magasin. Je lui ai dit de prendre une semaine de repos, et à son retour j'espère avoir pourvu son poste.

Eh bien, Brecht nous adorait, n'est-ce pas? Mais il a raison à propos du danger. Dommage que personne ne puisse jamais voir ces dossiers. Ni la recommandation de réduction de la paie de Patate, que je trouve également. Ni lire le délire paranoïaque de Brecht sur mon rôle de patron de la drogue. Je glisse tous les dossiers dans le tas de journaux, et je le mets près de la porte pour les emporter au centre de recyclage à sept heures du matin. Puis je vais pisser dans la salle de bains et je me vois dans la glace.

J'ai un bon millier de petits flocons de rembourrage de coussin collés dans mes cheveux.

Nom de Dieu. Je suis recouvert de pièces à conviction. Il y a des flocons de rembourrage partout. Sur le canapé, près de la porte, sur mon blouson trempé de pluie. Je cherche l'aspirateur dans le placard. Disparu. Kelly l'a emporté en disant que de toute façon je ne m'en servirais jamais. J'ai un autre coussin identique. Il y en avait deux. Je prends un couteau dans la cuisine et j'éventre mon second coussin, j'en sors un peu de rembourrage. Ceci explique cela.

Non, je m'aperçois que non. C'était une PAIRE. Un de mes coussins se trouve à côté du corps de la victime d'un meurtre, et son compagnon est sur mon canapé. Seigneur, à quoi est-ce que je pensais ? Je prends le second coussin, je le fourre dans un sac en plastique, et je me mets en demeure de ramasser chaque flocon microscopique que je peux trouver. Ensuite je prends une douche et je nettoie la bonde des restes de rembourrage. Je vérifie le canapé encore et encore. Chaque fois je trouve une minuscule fibre de rembourrage. C'est comme ça qu'on se fait inculper. Il me faut un putain d'aspirateur.

À sept heures, je vais à la décharge et jette les dossiers dans la benne de recyclage. Puis je m'achète un aspirateur-balai au supermarché, je le passe sur chaque centimètre du canapé et du living. Ensuite je vais me coucher, et je dors du sommeil d'un homme qui a terminé un travail bien fait.

Vers cinq heures de l'après-midi, Karl, l'acolyte de Gardocki, vient me voir. Il appelle à travers la porte : «Lève-toi. Ken veut te voir.»

Je lui ouvre, la cervelle encore pleine de toiles d'araignée d'un sommeil profond. Je suis en colère. «Tu dois me prévenir quand tu viens me voir. Arrête de me réveiller comme ça.

– Tu sais comment c'est», dit-il, style acolyte, et il va m'attendre dans le 4x4.

En route vers le bar où je dois retrouver Gardocki, Karl me demande : «Alors comme ça tu flingues pour Mr. G., hein ?»

Je ne réponds pas. Je regarde dehors. Il est vexé de pas avoir eu le boulot? D'où est-ce qu'il vient? Il ne travaillait pas à l'usine, j'en suis sûr. Quelque chose ne colle pas. Pourquoi échouer ici quand on n'est pas d'ici? Ça n'est pas un endroit où on vient, on le quitte, notamment depuis que l'usine a disparu.

« Tu viens d'où ? »

Il ne répond pas, il regarde dehors.

Aucune conversation. Nous continuons de rouler en silence.

« Jeff Zorda me dit que tu lui as demandé en premier. » J'essaie de ne pas paraître blessé, mais rationnel. « Ça me met en danger. Tu m'as dit que tu l'avais demandé qu'à moi. »

Gardocki sourit et l'admet. Il ne se laisse démonter par rien. « Je l'ai demandé à Jeff », dit-il. Il sait que je suis furieux, et que ça n'a rien à voir avec la peur d'être découvert. C'est réconfortant de se sentir compris, même par quelqu'un qui vous paie pour tuer. Surtout par ces gens-là.

Nous revoilà dans le bar au bord d'une route paumée, le bar sans nom où un juke-box joue tout le temps de la musique country. Les cinq mêmes types jouent au billard. Ken et moi sommes assis dans un box à l'écart, et Karl a été envoyé rejoindre les autres. De temps en temps il jette un coup d'œil dans notre direction.

« Pourquoi ? » Je geins presque. Gardocki sourit de nouveau.

« Je lui en ai parlé, et il a été si enthousiaste que j'ai su que j'avais commis une erreur. Alors j'ai fait semblant de plaisanter. Il a fait pareil. J'ai donc décidé de trouver quelqu'un d'autre, quelqu'un comme toi.

90

– Comme moi? Je suis comment?

– Honnête. Jeff est une ordure. On ne peut pas tromper un homme honnête, mais on peut le convaincre de tuer, s'il est assez en colère. Je voulais quelqu'un en colère, fauché, et honnête.»

Encore une fois je suis flatté. Gardocki sait comment s'y prendre. «Bon, dit-il. Parlons de New York.

– Tu pourrais m'avoir un silencieux? J'aime pas le bruit du coup de feu. C'est dangereux, et ça me fait mal aux oreilles.»

Il grimace. «C'était bruyant à l'usine. Comment tu faisais?

– Je portais des boules Quies.

– Porte des boules Quies, alors.

– Le bruit est quand même là. Des gens peuvent l'entendre. Je voudrais vraiment un silencieux.» En plus, c'est chic, un silencieux. Tous les tueurs à gages en ont. Quel homme de main se trimballe avec un flingue merdique qui fait un bruit d'enfer?

« Je le leur demanderai. Ils te donneront une arme. Mais s'ils n'en ont pas, tu peux en trouver un?

– Je ne sais pas où trouver un silencieux. On en vend au supermarché?»

Ken hausse les épaules. «Tu as demandé? Ils vendent des fusils de chasse.» Nous nous regardons, et nous éclatons de rire.

Être tueur à gages, c'est comme tout, on a ses moments de rigolade.

Je rentre chez moi, je me prépare à dîner, et le téléphone sonne. C'est Tommy, du magasin.

«Jake, tu as vu les nouvelles?

– Quelles nouvelles?

– Mets-toi sur Channel Four.

– J'ai pas de télé.» Je sais déjà de quoi il s'agit.

«Jake, vieux, Brecht a été tué. Dans sa chambre d'hôtel.»

D'accord, sois surpris. «Brecht? Non…» Non, n'aie pas l'air accablé, bouleversé, ça serait trop. «Sans blague?

– Quelqu'un l'a tué. Hier soir.

– Bon Dieu…» Choisis d'être choqué. Et pose les questions que poserait quelqu'un qui n'a pas commis le meurtre. «C'était un cambriolage?

– J'en sais rien. Ils disent seulement que c'est le deuxième en deux semaines. Ils les appellent les meurtres du voyeur. Tu te rappelles la femme de Gardocki?

– Quelqu'un observait Brecht?

– J'imagine.» Tommy regarde les infos, il ne fait pas très attention à moi. Tommy n'en a rien à cirer de Brecht, il a probablement poussé un soupir de soulagement quand il a appris qu'il était mort. Il ne le reconnaîtrait pas, mais il dit quand même: «Mon Dieu, j'espère qu'on me soupçonne pas. Je dois t'avouer, Jake, j'aimais pas beaucoup ce type.

– Moi non plus.

– En tout cas, ça fout la merde. Je voulais que tu sois au courant.

– Merci de m'avoir appelé.

– Pas de quoi. Tu viens lundi?

– Sept heures pile.

– Viens à six heures et demie. Brecht a fait cette nouvelle règle, nous devons arriver une demi-heure plus tôt.

– À quelle heure tu veux que j'arrive, toi?»

Tommy se rend compte tout à coup que puisque

Brecht est mort, ses directives ne comptent pas. « Je veux que tu sois là à sept heures, dit-il tout joyeux.

– D'accord pour sept heures. » Tommy est redevenu le directeur.

Je m'installe pour dîner et je pense au type que je vais tuer à New York. Qu'est-ce qu'il a fait pour mériter que j'y aille et que je le tue ? C'était une balance de la mafia ? J'en doute, parce que je suis sûr qu'elle a son propre personnel pour s'occuper de ces cas-là. Un homme qui bat sa femme ? Un voleur ? Un dealer ? Ou quelqu'un comme Brecht, un automate dont toute humanité a été retirée au nom du succès ? Je sais que j'aurais tort de poser des questions sur lui. La discrétion fait partie du travail. Tout ce que je sais c'est que si c'était un type bien, personne ne serait prêt à claquer dix mille billets pour que je le tue.

Alors j'imagine des trucs sur son compte. Je décide que c'est un dealer escroc qui bat sa femme, qu'il possédait une entreprise et qu'il a licencié tout le monde pour économiser quelques dollars. Oui, il va en prendre. En pleine tête, une seule balle.

Au moment où j'avale ma dernière bouchée, on frappe à la porte. Encore l'acolyte Karl. « Bon sang, rien qu'une fois, tu pourrais pas téléphoner d'abord ?

– Pas de coups de fil. C'est la règle. »

Je prends mon manteau. « Allons-y. »

Le trajet est toujours le même. Karl me demande : « Tu flingues des gens pour Gardocki ?

– Tu viens d'où ? »

Nous roulons en silence.

Gardocki est hors de lui. Il ne dit rien et ne sourit pas.

Il ordonne à Karl d'aller jouer au billard (ce type doit être devenu un champion à ce stade) et me fait signe de l'accompagner dehors. Karl nous regarde, l'air blessé.

Nous sortons du bar et traversons le parking sombre, nous nous arrêtons près des arbres. Il me regarde fixement avant de parler. «Qu'est-ce que tu es, un maniaque ou quoi?

— De quoi tu parles?

— C'était la même arme, tête de nœud. Tu t'es servi de la même arme pour tuer un type hier soir. Je viens de le voir aux infos.

— Oh, ça.

— Oui, ça. Qu'est-ce qui t'arrive, bordel? Tu étais censé balancer le pistolet dans la rivière.

— Ken, ils ont dragué la rivière. C'est le premier endroit où ils ont cherché.

— Comment tu le sais?

— J'y suis allé le lendemain.

— Putain, c'est pas vrai.

— Et il y avait cinq flics qui passaient la rivière au peigne fin. Si j'avais jeté le pistolet dans l'eau, ils l'auraient déjà retrouvé.

— Et tu le savais.

— C'était juste un coup de chance.

— Tu as de la veine qu'ils t'aient pas vu là-bas.»

Il me regarde quelques secondes, puis il lève les mains dans un geste d'exaspération. «Tu vas tuer quelqu'un d'autre avec cette arme? J'aimerais le savoir.

— Je m'en suis débarrassé.

— C'est sûr? Ou bien est-ce que dans deux semaines je verrai à la télé qu'un client du magasin qui a été grossier avec toi s'est fait flinguer avec mon pistolet…

– Techniquement, c'était *mon* pistolet. Tu me l'as donné. Et non, je ne suis pas un maniaque. Je m'en suis vraiment débarrassé cette fois.»

Gardocki secoue la tête. «Les meurtres du voyeur, c'est comme ça qu'ils les appellent.

– Je sais.»

Gardocki allume une cigarette. «Qui c'était, ce mec? Qu'est-ce qu'il t'avait fait?

– Il allait me virer.

– D'un magasin de station d'essence? Tu as tué quelqu'un parce qu'il allait te virer d'un magasin de station d'essence? Bon Dieu, Jake, je t'aurais trouvé du boulot.

– Tu l'as déjà fait.

– Alors c'est ça que tu veux? Tuer des gens? Parce que si c'est ça, je peux probablement te trouver de l'occupation.

– D'accord. Trouve-m'en.»

Il me regarde dans les yeux avec une intensité aimante. Il est très fort avec les regards. Des années dans l'illégalité lui ont appris comment dérouter son monde. «J'ai seulement besoin de savoir que tu t'es débarrassé de ce pistolet.

– Il a disparu, je te jure.»

Gardocki hoche la tête. Puis il rit et me tape sur l'épaule. «Tu es un sacré fêlé.» Il tire un papier de la poche de sa veste et me le tend. «C'est le numéro que tu appelleras en arrivant à New York. J'ai dit que tu téléphonerais à trois heures samedi après-midi.

– D'accord.

– Bon, alors ça marche.

– Ça marche. Je te verrai la semaine prochaine.

– Karl va te raccompagner chez toi.

– Je prendrai un taxi.

– Tu as un problème avec Karl?

– J'ai pas une passion pour lui. Tu l'as rencontré où?

– Ici.

– D'où il vient?

– Comment je le saurais? Il y a environ deux mois il m'a dit qu'il cherchait du boulot, alors je lui ai fait livrer des paquets, des trucs comme ça. Je pense qu'il travaillait à l'usine.

– Non. Ou s'il y travaillait, je l'ai jamais vu. »

Il hausse de nouveau les épaules. «Tu veux faire un billard en attendant ton taxi?

– J'attendrai ici. J'aime le grand air. »

Il secoue la tête, sourit et tourne les talons. Il rit en traversant le parking d'un pas chancelant. «Sacré fêlé, tu es un sacré fêlé, Jake. »

Je suis un sacré fêlé? Regarde autour de toi, Ken, un monde sans règles. Il y a des gens dont le boulot consiste à faire passer des tests anti-drogue à des employés de magasin. Des gens qui veillent à ce que d'autres n'apportent pas d'arme au boulot. Des gens dans des immeubles de bureaux qui essaient en ce moment même de calculer si licencier sept cents personnes leur fera économiser de l'argent. Quelqu'un est en train de promettre la fortune à d'autres s'ils achètent une cassette vidéo qui explique comment améliorer leur existence. L'économie c'est la souffrance, les mensonges, la peur et la bêtise, et je suis en train de me faire une niche. Je ne suis pas plus fêlé que le voisin, simplement plus décidé. Je pense que Gardocki le sait. Mais «tu es un sacré décidé», ça ne fait pas une bonne formule.

6

L'avion atterrit à La Guardia et je suis étourdi par l'excitation, comme un écolier en excursion dans la grande ville. C'est samedi après-midi, une heure quinze, et je dois appeler à trois heures, mais ce dont j'ai vraiment envie c'est de faire du tourisme. Je suis à New York, où chaque pâté de maisons rappelle une scène d'un film que j'ai vu, en général avec Kelly. Je prends un taxi pour le centre et je me surprends à me sentir nostalgique dans un endroit où je ne suis jamais venu. Je marche dans la rue où Al Pacino et Ellen Barkin marchaient dans *Mélodie pour un meurtre*. Je reconnais les façades des magasins. Je me trouve ensuite dans le quartier où Jack Nicholson ne voulait pas marcher sur les fissures du trottoir dans *Pour le pire et pour le meilleur*. Je m'amuse comme un fou jusqu'à ce que je m'aperçoive que c'est l'heure d'aller tuer quelqu'un, et peut-être aussi de trouver un endroit où dormir ce soir si je veux visiter la ville demain.

J'appelle le numéro que Ken m'a donné. Une femme répond.

Je dis : « Salut. » Je suis tout empoté. Je ne m'attendais pas à entendre une femme, plutôt un truand à la voix grinçante avec un fort accent new-yorkais. Cette dame a une voix à la Grace Kelly, et je suis pris de court. « Je viens du Wisconsin. Ken Gardocki m'a donné votre numéro.

– Oui », dit-elle comme si je venais de lui demander des indications pour la livraison de ses achats. « C'est très aimable à vous d'appeler. »

Aimable? Elle va m'inviter à sa garden-party? «Je suppose que vous aurez besoin d'indications, dit-elle gaiement.

– J'en aurai besoin.» J'essaie d'abord de paraître menaçant, puis j'imite son enthousiasme poli. «Où êtes-vous?

– En fait, vous ne venez pas ici, dit-elle d'une voix soudain distante mais toujours avec son accent guindé. Vous allez là-bas.

– Là-bas. Je vois.

– C'est à Long Island. Savez-vous comment vous y rendre?

– Non.

– Le chauffeur de taxi saura.» Elle me donne l'adresse, que je note. Une rue, un numéro, appartement trois. «Vous y trouverez un homme.

– Et c'est lui?» L'homme à abattre, celui sur qui je dois tirer?

«Mon Dieu, non, répond-elle alarmée. C'est l'adresse de Roger. Il vous expliquera tout et vous donnera l'autre adresse. Ainsi que tout le… le matériel.»

Je m'aperçois soudain que je n'ai même pas d'arme. Ce Roger doit être celui qui me donnera le «matériel», lequel, je l'espère, est muni d'un silencieux.

«Il m'attend?

– Oh, oui. Il vous attend. À quelle heure dois-je lui dire que vous arriverez?

– C'est loin?

– À environ un quart d'heure du centre en taxi.

– Alors disons un quart d'heure.

– Parfait, dit-elle comme si nous venions de prendre rendez-vous pour un déjeuner. J'espère que vous avez eu un vol agréable.

– Tout à fait.

– C'est très bien. »

Je me mets à parler comme elle : « Oui. Très bien. »

Comment un homme comme Ken Gardocki peut-il connaître cette femme genre Grace Kelly? Je me demande de quoi elle a l'air, de quoi il s'agit, qui est Roger, qui est « le type », et ce qu'il a fait pour mériter une visite de ma part. Je suis payé pour ne pas me poser de questions, et j'essaie, mais je ne peux m'en empêcher. Et si c'était un type dans une des usines de Grace Kelly qui a fait du grabuge parce que les ouvriers y sont maltraités? J'aurais l'air de quoi en me pointant et en le tuant? D'un con. Comme tous les autres.

Je hèle un taxi et indique l'adresse au chauffeur, nous partons. Nous traversons un pont et entrons dans un quartier minable, plein d'entrepôts, de camions et de poubelles, et je commence immédiatement à me sentir plus à l'aise. C'est le genre d'endroit où habitent les gens qui organisent des meurtres. Le chauffeur commence à ralentir, puis il s'arrête devant un bâtiment de briques très quelconque sous un pont où il y a une circulation intense.

À l'intérieur, l'entrée sent le moisi et le sol est jonché de journaux froissés et d'emballages. J'entends au dehors un camion qui klaxonne en faisant marche arrière, et des gens qui engueulent le chauffeur. Il y a des boîtes aux lettres et un interphone, et quelqu'un doit m'ouvrir la porte, mais je ne connais pas le nom de famille de Roger. Je sais que c'est l'appartement trois, mais tous les numéros ont été arrachés. Je pousse le troisième bouton.

« Oui? » On dirait une femme âgée.

« Heu… Est-ce que Roger est là? »

Elle raccroche. J'appuie sur un autre bouton.

«Allô?» Encore une femme.

«Allô? Je cherche Roger.» On raccroche encore. Ce qu'on dit des New-Yorkais a l'air de se confirmer. En tout cas, j'en ai marre de ces conneries et j'envisage de balancer quelque chose à travers la porte vitrée. Quel est le connard qui engage un tueur et ne lui donne pas d'indication, ou qui ne vérifie pas que les numéros sont bien sur les boutons de l'interphone? Tout à coup j'entends le déclic et je pousse la porte.

La cage d'escalier n'a pas été repeinte depuis une éternité. Je grimpe les escaliers, qui ont de vagues relents d'urine et de bière, comme chez Tulley. J'entends une porte s'ouvrir, et quelqu'un m'appelle. «Vous êtes très ponctuel.»

En haut de l'escalier m'attend un homme maigre, alangui et très efféminé, une main sur la hanche, qui m'examine de pied en cap comme si j'étais un mannequin sur un podium. Roger n'est donc pas un truand d'âge mûr à la voix grinçante. C'est une grande folle.

Mais une folle tout à fait amicale qui me tend la main et me sourit chaleureusement. «Je m'appelle Roger.» Je lui serre la main sans prendre la peine de lui dire mon nom. «Vous n'êtes pas du tout tel que je vous imaginais.

– Vous non plus. Vous vous attendiez à quoi?

– Oh, vous savez, l'imperméable, les lunettes noires, le costume de chez Armani à deux mille dollars. Ce genre-là. Comme au cinéma.» Il s'écarte de la porte. «Entrez, je vous en prie.» Il m'introduit dans un appartement très clair et décoré d'une façon exquise, il y a des plantes vertes et des tableaux partout, la stéréo joue doucement du jazz. Je pensais que l'intérieur de l'appartement serait aussi abîmé que la cage d'escalier, mais Roger l'a pris en mains.

«Je dois dire que je trouve ça épatant de rencontrer quelqu'un comme vous, dit-il.

– Quelqu'un comme moi?» C'est-à-dire? Un hétéro? Un type du Wisconsin? Le chef d'un service du chargement?

«Vous savez…» Roger paraît gêné, et je comprends soudain ce qu'il essaie de dire.

«Oh, un tueur.»

Il a l'air soulagé. «C'est ça, un tueur. C'est tellement… épatant.» Il marque une pause. «Je m'attendais vraiment à un costume noir d'Armani, tout de même.» Mon jean débraillé l'a déçu.

Je finis à sa place: «Et des lunettes de soleil.

– Oui, des lunettes de soleil.

– Pourquoi?

– Parce que c'est toujours ce qu'ils portent dans les films.

– Vous ne trouvez pas que c'est malin de ne pas s'habiller selon l'idée que tout le monde se fait d'un tueur?»

Cette remarque profonde et brillante impressionne énormément Roger. Il me regarde avec beaucoup de respect. Roger trouve super de parler à un tueur à gages dans son salon. Je dois arrêter ça, prendre mon pistolet, l'adresse, et me mettre en route. J'adopte mon attitude sérieuse de tueur. «Je suis ici pour avoir une arme et une adresse.

– Oh, c'est vrai, c'est vrai.» Roger rit. Il agite les mains en gloussant, presque avec coquetterie. «Je reviens tout de suite.» Il se précipite dans sa chambre et revient en tenant un pistolet qu'il pointe imprudemment dans ma

101

direction. Je fais un pas de côté pour éviter le canon, un instinct né de mon horreur des armes, et Roger met sa main sur sa bouche, choqué par sa propre inconscience.

«Pardon, dit-il.

– Ça va.» Il me tend le pistolet et je vais vers la table. «Posez-le. Je dois d'abord mettre mes gants.»

Il hoche la tête. «Oui, bien sûr.

– Vous voulez peut-être effacer vos empreintes.»

Une fois de plus, il est impressionné par mon intelligence. Je vois maintenant pourquoi il m'a engagé. Il ne doit pas savoir grand-chose de ce qu'est un comportement criminel intelligent.

«Qu'est-ce que je dois utiliser pour effacer les empreintes?

– Un chiffon.»

Il éclate de rire. «Un chiffon!» J'ai marqué des points parce que je suis un génie criminel. Il va chercher un chiffon dans la cuisine et astique le pistolet du canon à la crosse, puis, doucement, cérémonieusement, il le pose sur la table de la cuisine. Je le regarde. C'est un pistolet bon marché, sûrement de la camelote, et il n'a pas de silencieux.

«Il y a combien de balles dedans?

– Je n'en suis pas sûr. Mais vous n'avez besoin que d'une, n'est-ce pas?

– Je ne sais pas.» J'enfile des gants et je prends le pistolet. Ma réponse semble l'avoir troublé.

«Je veux que vous tiriez une seule fois», dit Roger nerveusement, les petits rires badins remplacés par l'inquiétude et la peur. «Je ne veux pas qu'il soit blessé. Seulement tué.»

Je trouve le petit levier qui libère le chargeur, lequel

102

glisse dans ma paume avec une aisance que je n'ai pas. La conviction de Roger quant à mon expérience en matière d'armes paraît renforcée par cette preuve accidentelle de dextérité, et j'examine le chargeur sous le regard de Roger. Il attend que je le rassure. Le chargeur est plein.

«Je n'ai jamais eu besoin d'une seconde balle.» Je parle sincèrement, professionnellement. «Mais une fois j'ai été attaqué par un chien.

– Jason n'a pas de chien.

– Tant mieux.» Je tire la culasse en arrière et j'arme le pistolet, je suis sur le point de le mettre dans ma poche quand je me rends compte de ce que je viens de faire. La plus légère secousse m'enverrait une balle dans la rate. Je ramène doucement la culasse vers l'avant, et je glisse l'arme dans ma poche, en faisant comme si c'était un contrôle auquel je me livre toujours avant de faire mon travail. Roger attend toujours que je le rassure en lui disant que je n'abîmerai pas la victime.

«Je veux que vous tiriez une seule fois, répète-t-il.

– Espérons que ça ira. On ne sait jamais jusqu'au dernier moment. Il pourrait se défendre.

– Il ne se défendra pas.

– Je doute qu'il reste planté et me laisse lui tirer dessus.

– Il sera couché, dit Roger. Il sera sous calmants.

– Il sera sous calmants?

– Il a le sida. Il est mourant. Il sait que vous venez. Mais vous devez y aller entre cinq heures et sept heures. C'est le moment où l'infirmière va dîner. Elle le drogue. Je croyais que vous le saviez.

– Et comment je le saurais?»

Roger a l'air contrarié à présent. Il commence à comprendre que je suis vraiment un tueur, que je tuerais même quelqu'un qui n'est pas déjà mourant si c'était bien payé. Jusqu'à maintenant, il me semble, il pensait que j'étais un professionnel d'un service public, ou un tueur charitable comme le docteur Kevorkian. Qu'il aurait d'ailleurs dû engager.

«Alors Grace ne vous a rien dit?

– Elle m'a dit où vous habitiez, c'est tout.

– Oh, mon Dieu, dit Roger. Vous savez que vous devez voler quelque chose?

– Quoi?

– Vous devez voler quelque chose chez lui. Pour faire croire à un cambriolage. Comme ça l'assurance paiera pour son traitement.

– Je n'aime pas voler. Je ne suis pas un voleur.

– Vous ne le volerez pas vraiment. Prenez seulement quelque chose de valeur. Il faut faire sauter la serrure et prendre quelque chose», dit Roger, et sa voix me fait penser qu'il commence à paniquer. «Je croyais que Grace vous avait tout expliqué… Oh non, oh non…»

Je grogne: «Calmez-vous», en essayant de me montrer apaisant. «Nous allons revoir tous les détails pour être sûrs que tout est au point.» Roger paraît calmé par mon attitude paternelle, je continue donc à jouer le tueur compréhensif au grand cœur. Bien sûr, je ne veux pas qu'il pique une crise, mais je réalise aussi que je suis payé pour ce que je fais, que je travaille pour lui. Ça n'est pas si différent que d'avoir quelqu'un qui appelle le service du chargement en faisant une scène parce qu'il a peur qu'une expédition de pièces de tracteur se soit perdue. Le service est le service.

Je m'assois à la table de la cuisine et je dis fermement: «Maintenant, commencez par le commencement.»

La situation est la suivante : Jason est un ami de Roger et il est en train de mourir du sida. Ça, je l'avais déjà compris. Jason et Roger ont découvert que si Jason meurt au cours d'un cambriolage, plutôt que dans son sommeil, son assurance habitation paiera assez d'argent pour couvrir les frais de son traitement de l'année dernière. De toute façon, Jason a plus ou moins une semaine à vivre. Grace est impliquée parce qu'elle a cosigné avec Jason un certain formulaire d'admission, et l'hôpital va se retourner contre elle. J'apprends que, malgré son accent, Grace n'a pas beaucoup d'argent, et que les dix bâtons qu'ils ont grattés à trois pour moi sont à peu près tout ce qu'ils peuvent faire. Dix bâtons. Gardocki se garde donc deux mille cinq cents dollars de commission. Pas d'objection.

En me voyant prêt à partir, Roger prend soudain conscience de ce qui va arriver et éclate en sanglots. Je lui dis d'aller se promener, d'entrer dans un bar ou n'importe où pour avoir un alibi, puisqu'il sera vraisemblablement suspect pendant un jour ou deux. De nouveau il me regarde avec cet air de crainte respectueuse face à mon esprit criminel. Il court après moi dans la rue tandis que je m'éloigne. Il sanglote comme un enfant. Je me demande comment il résistera à un interrogatoire éventuel et je suis heureux qu'il ne sache rien de moi.

Je trouve l'endroit, qui n'est qu'à deux rues de l'appartement de Roger, et le bâtiment est presque identique. Je consulte mon petit plan dessiné à la main, je vais derrière, vers l'escalier d'incendie, et tout est comme prévu. L'escalier de fer a été abaissé pour moi, la fenêtre de derrière est entrouverte. Je grimpe jusqu'au troisième et regarde par la vitre crasseuse. C'est bien ça, dans une pièce sombre où la peinture se détache des murs, un homme est en train de mourir dans son lit.

La fenêtre coulisse et je l'enjambe. Je regarde autour de moi et je me dis que personne ne devrait mourir comme ça, dans une pièce pareille, peinture écaillée, tapis défraîchi qui sent l'humidité et le moisi. Je vois la chaise où l'infirmière était assise. Il y a un livre, du tricot, de quoi l'occuper pendant qu'elle regarde cet homme mourir. Elle se lève peut-être de temps à autre pour tripoter un bouton sur une de ces machines. Je regarde une fiche posée près du lit. Un appareil à pompe introduit de l'oxygène dans cet homme, le rythme est presque apaisant, un, deux, un, deux. La fiche dit qu'il est né le même mois et la même année que moi, et pour lui tout est fini. Ç'aurait pu être ma vie. Je vois son lieu de naissance : Omaha, dans le Nebraska. La ville natale de Gardocki. C'est un gars du Midwest. Je me sens une parenté avec lui. Il est peut-être venu ici parce qu'il était gay. Je connais des gens dans mon quartier qui ne sont pas très ouverts vis-à-vis de ces choses-là.

En tout cas, comme moi, il s'est fait baiser par les circonstances, et elles l'ont laissé tomber. Avec lui, elles ont fait un boulot plus soigné. Je suis ici parce qu'une compagnie d'assurances l'a baisé. Je suis ici parce qu'une gigantesque société m'a baisé. Un ancien chef de service du chargement fauché se tient dans la chambre d'un acteur gay mourant, un pistolet à la main, à cause de décisions prises il y a des années ou des mois par d'énormes entreprises.

Il a les yeux fermés, et il a l'air de dormir paisiblement. En tout cas, il ne souffre pas. Je braque le pistolet sur sa poitrine.

«À plus tard, vieux.»

BANG.

Un flot de sang jaillit. Il pousse un grand soupir. Puis il y a un nouveau flot de sang, moins important cette fois. Et un troisième, encore plus faible, ensuite le sang se répand sur les draps. Il soupire de nouveau. Il est mort. Une balle, comme je l'avais promis.

Il y a un peu de fumée dans la pièce, mais pas autant que la dernière fois, il me semble. C'est peut-être une question d'arme, ou alors c'est que je m'y habitue. Mais le bruit a été presque aussi fort, et mes oreilles tintent. Fini de tuer des gens sans silencieux, je me le promets. Trouver, absolument, un silencieux. Note à moi-même : consulter la revue pour mercenaires *Soldier of Fortune*. Je suis sûr qu'on trouve des annonces là-dedans, ça n'est pas ce que Gardocki a suggéré ?

Bon, il est temps de cambrioler.

Je rôde, vide quelques tiroirs à la recherche d'un objet à voler. Il y a un vieux bougeoir en étain. Aucun cambrioleur qui se respecte n'apporterait ce machin à un prêteur sur gages. La télé ne doit plus avoir une image nette depuis l'époque où *Bonanza* passait en prime time. En plus, c'est un de ces modèles des années soixante-dix quand les télés étaient de véritables meubles. Je fouille plus avant. De vieilles serviettes, une cafetière électrique foutue. Putain, ce type n'est pas exactement Howard Hughes. Je me dis que s'il y avait un objet de valeur, et d'après ce que je sais de la nature humaine, l'infirmière se serait probablement déjà servie. Je fais sauter la serrure et donne quelques coups de pied dans la pièce avant de décider que j'en ai assez et j'ouvre la fenêtre pour repartir…

BIIIIIP ! BIIIIIP ! BIIIIIP !

Nom de Dieu, quel boucan! Je pense d'abord qu'il y a une alarme à la fenêtre, mais je me rappelle que je suis entré par là. Quel genre d'alarme se déclenche à la sortie? Je remarque ensuite que ça semble venir du mur près du lit. C'est un des appareils de maintien en vie. Rien qu'un poil en retard. Je cherche comment éteindre ce foutu signal.

BIIIIIP! BIIIIIP! BIIIIIP!

Bon sang, les flics vont arriver tellement ça hurle. L'infirmière est sourde? Où est la commande? Je la vois sur le mur du fond, et il y a davantage de boutons que dans le poste de pilotage d'un 747. Avant que j'y comprenne quelque chose, il y aura toute une brigade d'intervention dans l'entrée. J'attrape le bougeoir d'étain et le lance contre ce qui semble produire le bruit. Il ricoche sur le mur et frappe le pauvre Jason à la tête.

«Merde!» je hurle.

La prise est sous le lit, mais je ne peux pas passer sous le lit, il n'y a pas la place, et…

BIIIIIP! BIIIIIP! BIIIIIP!

… et il n'est pas question que je monte *sur* le lit parce qu'il est trempé de sang, et du sang de sida, en plus. Je ne peux pas partir en laissant ce bruit continuer. Merde.

J'aperçois un boîtier électrique sur le mur. Je me précipite et j'abaisse toutes les fiches.

BIIIIIP! BIIIIIP! Biiiii…

Dieu merci. Le silence envahit la pièce. J'entends ma respiration affolée. Je guette des bruits dans le couloir. Rien.

Je vais à la fenêtre d'où parviennent les bruits de la rue. Des camions passent, un klaxon retentit. J'entends au loin un train ferrailler sur des rails et, au-dessus, le rugissement d'un jet qui approche de La Guardia. La vie continue dans la grande ville. Personne n'a remarqué cette petite agitation.

Je saute dehors, descends l'escalier d'incendie, et en quelques secondes je suis dans la rue, le cœur encore battant. Je m'éloigne en prenant soin de marcher normalement, d'une façon que personne ne remarque. J'aperçois une poubelle, jette un coup d'œil rapide aux alentours, et j'y balance le pistolet.

Je suis soudain épuisé par toute cette chierie, l'obligation de marcher normalement pour ne pas me faire remarquer, l'obsession des pièces à conviction. C'est du boulot de tuer les gens, et j'ai besoin d'une journée de repos. Pas de visite de la ville. J'arrête un taxi et je file à l'aéroport, en me disant que j'aimerais être chez Tulley.

Dix heures plus tard, j'y suis.

C'est réellement bondé, parce que Tony Wolek, Dieu le bénisse, a créé une ligue de fléchettes, et ce soir c'est le grand championnat. Tony s'est promu gardien du moral de la ville. Il organise des activités dont il pense qu'elles aideront les gens. Il a encouragé des adolescents sans talent à monter un orchestre et à jouer le vendredi soir. Pour Halloween, son bar a abrité une fête costumée avec concours du meilleur déguisement. Tout bien considéré, ces événements étaient assez réussis, et à mesure que je me soûle au comptoir, je me découvre de l'affection pour cet homme et sa façon de continuer à faire des efforts dans le bon sens. Tout à coup je le vois, le visage gris, qui tend une bière à un gamin mineur, et je me redis qu'il n'a plus pour longtemps à vivre, encore un tombé sur le champ de bataille des licenciements.

Je sens une bouffée de parfum, je me retourne et vois une femme à la crinière noire qui s'appuie au comptoir en attendant d'attirer l'attention de Tony. Je me souviens d'elle, dans le pool de secrétaires de l'usine, je me rappelle avoir admiré plusieurs fois ses jambes et son cul en marchant derrière elle dans l'allée de l'usine à six heures cinquante-cinq, du temps où nous avions du travail. La bière m'oblige à lui communiquer cette passionnante information.

Je commence : « Je me souviens de vous », et je m'arrête avant d'aborder le cul et les jambes.

Elle se tourne vers moi, m'examine pendant une seconde sans la moindre expression. Je la trouvais jolie à l'époque, mais après des mois sans femmes je la trouve carrément belle. Je me demande si un type pas mal beurré qui regarde les moments forts sur la chaîne sportive peut faire bonne impression. J'en doute. Elle continue de me regarder, mais elle ne sourit pas.

« Ouais, dit-elle. À l'usine. »

Elle a une voix de fumeuse, un peu rauque, qui m'excite. Mais si elle était complètement différente, haut perchée et aiguë, ça m'exciterait aussi. À peu près tout chez cette femme m'excite. Ça m'excite aussi qu'elle avale une bonne gorgée de bière et qu'elle continue de me regarder comme si elle s'attendait à la grande tirade de drague qui devra la faire craquer.

« Content de vous revoir. » Très inspiré. Faut dire que j'ai perdu la main.

« Moi aussi. » Elle ne s'en va pas. Je suis sûr qu'il y a au moins un joueur de fléchettes qui attend son retour, mais elle ne paraît pas particulièrement pressée. Et elle s'est payé une bière pour elle toute seule. Elle me regarde toujours.

Elle me donne une chance. Mais ma tête reste vide. Tout ça est arrivé sans prévenir. Je n'étais pas prêt, je veux reprendre du début, j'ai besoin d'une petite préparation mentale.

Elle me regarde. Je la regarde. Elle s'écarte finalement du comptoir avec un rapide: «À une autre fois». Ma chance est passée. Je l'ai loupée. J'essaie d'apercevoir son joli cul dans la foule, en espérant qu'elle va se retourner et me lancer un regard entendu par-dessus son épaule, mais elle n'est plus là.

J'ai envie de me taper la tête sur le comptoir. J'ai l'impression de sombrer, certain que tout le monde ici doit avoir remarqué mon humiliante stupidité. Je regarde autour de moi. Ils sont tous à leurs affaires. L'endroit est exactement le même. Je suis le seul à avoir changé.

«C'était comment, New York?» C'est Ken Gardocki, qui m'appelle d'une cabine à huit heures du matin.

«Très animé. Beaucoup de monde.» Comme d'habitude, il m'a tiré d'un sommeil profond.

«Comment ça s'est passé?»

Je comprends que ce n'est pas un appel mondain. «Oh, bien. Tout s'est bien passé.

– Comme prévu?

– Comme prévu.

– J'ai autre chose pour toi.

– Bon sang.» Je ne pensais pas devoir retravailler si vite. Ni même jamais. Il y a au moins un marché en pleine expansion par ici. J'ai investi au bon moment, comme disent les analystes financiers. «Déjà?

– Ce coup-ci c'est assez pressé.

– Aucun problème.

– Passe au bar ce soir.

111

– J'y serai.

– Je t'enverrai Karl.

– Bien. Il m'a manqué. »

Je me lève, m'étire, regarde par la fenêtre le jardin couvert de neige, l'arbre mourant et la cabane à outils abandonnée, je me souviens que dans mon tiroir à chaussettes j'ai maintenant près de trois mille dollars, et que Ken Gardocki m'en doit encore cinq mille, qu'il me donnera probablement ce soir. Je ne suis plus pauvre.

Mais les réflexes de pauvre vous collent à la peau plus longtemps que la pauvreté elle-même. Je me surprends encore à projeter d'aller au magasin demander des cigarettes à Tommy, alors que je pourrais en acheter un plein camion. J'ai encore un moment d'angoisse quand je pense que ma vieille petite voiture va manquer d'essence et a besoin de nouveaux pneus. Je pourrais m'en acheter une bien mieux, rien qu'avec ce que j'ai dans le tiroir à chaussettes, je sais, mais l'angoisse est toujours là.

Je sais maintenant que tout peut disparaître très vite. Pas seulement l'argent, mais la vie, la stabilité. Rien de tout ça n'est réel. Les pauvres le savent. C'est pour ça qu'ils investissent si rarement, qu'ils font si rarement avec leur argent quelque chose qui leur en rapportera davantage. Investir dans l'avenir est un luxe de riches. Les pauvres cherchent seulement des moyens de rendre le présent supportable. L'argent peut procurer des moments de réalité agréable, quels qu'ils soient. C'est pour ça que l'argent ne change jamais de mains. Des façons de claquer ce que j'ai dans le tiroir me traversent l'esprit et je me vois dans un grand restaurant, en face de la fille mystérieuse du bar d'hier soir, en train de l'encou-

112

rager à commander le vin le plus cher. Puis j'imagine un énorme sachet de coke pour moi, Tommy et quelques autres, une grande soirée, des call-girls de luxe…

Je commence à penser à ça. Mmmm. Je me recouche et me demande combien coûte une nuit avec deux call-girls de luxe. Est-ce qu'il en reste dans cette ville ? Probablement pas. Je suis sûr qu'elles sont parties en même temps que l'argent. Probablement le jour où l'usine a fermé. Je me demande si c'est un indicateur économique auquel les grands esprits de Wall Street ont déjà pensé, la migration des professionnelles haut de gamme. Il y a peut-être un anthropologue quelque part qui les bague et suit leurs déplacements sur une carte géante pour repérer où se trouve l'argent, quel est le meilleur endroit pour ouvrir des restaurants et vendre des voitures. Sûrement pas ici.

N'importe. Pas de call-girls pour moi. Je vais voir si Tommy sait quelque chose à propos de la secrétaire à la voix rauque.

« Comment tu vas ? » Derrière le comptoir du magasin, je serre la main de Tommy avec exubérance. À présent que Brecht est parti, il est redevenu le Tommy que je me rappelle. Il a la démarche élastique et le sourire facile.

« Les flics sont venus, me dit-il. Ils voulaient te parler.

– À moi ? Pourquoi ? Ils pensent que j'ai tué ce con ? » Cette idée absurde me fait rire, mais Tommy ne rit pas.

« Mon vieux, je crois que oui.

– Ils pensent que j'ai tué Brecht ? » Je blêmis un tout petit peu, mais je pense que même un homme innocent serait troublé à l'idée d'être soupçonné de meurtre, je ne cherche donc pas à dissimuler.

« Ils ont dit que Brecht avait envoyé un e-mail au QG de la compagnie pour demander que quelqu'un, un privé ou je ne sais qui, fasse une enquête sur toi.

– Sur moi ? Pourquoi ?

– J'en sais rien. C'était son dernier e-mail. Tu ferais mieux d'aller les voir. »

Je fais semblant d'être secoué par la nouvelle. Et je le suis. Ce petit con de Brecht cherchait une raison de me virer, il voulait déterrer une histoire de drogue. Je n'ai pas de casier judiciaire. Il m'aurait viré de toute façon. Je le sais depuis que j'ai lu ses dossiers, mais il cherchait quelque chose de précis. Merde. Je n'avais pas pensé à ça. Bon, je suppose que je ferais mieux d'aller au commissariat.

« Hé, je reprends quand ? Je travaille toujours ici, hein ?

– Bien sûr. Viens demain à sept heures.

– À demain. » J'ajoute une blague. « Si je suis pas en taule pour meurtre. »

Tommy ne rit pas.

Et merde.

Je roule vers le commissariat en me disant que l'idée d'être soupçonné de quoi que ce soit ne m'a jamais traversé l'esprit. Je n'ai pas préparé mes réponses devant une glace parce que je n'imaginais pas que quelqu'un puisse reconstituer une histoire. J'imaginais que la police était dans le même état lamentable que tout le reste, sans subventions suffisantes, indifférente. Les hôpitaux fermaient, les restaurants fermaient, même les soldeurs fermaient. Pourquoi les postes de police resteraient-ils ouverts ? Pour une bonne raison. Le besoin de punir la populace locale est visiblement plus important que celui de la soigner, la nourrir et l'habiller.

Mais à présent je vais devoir travailler sur mes réponses. Je conduis lentement. Où j'étais? À New York. Inutile de mentir là-dessus, c'est enregistré. Pourquoi j'y suis allé? Pour visiter? Combien de chômeurs fauchés traversent le pays pour faire du tourisme? Pour aller voir ma tante malade? S'ils vérifient, il me faudra une tante malade, des papiers d'hôpital, quelque chose. Je dois aller à la bibliothèque, trouver un annuaire de New York et chercher des Skowran, prétendre que l'un d'eux est un cousin ou n'importe quoi. Pourquoi pas pour un entretien d'embauche? Ils me demanderont le nom de l'entreprise. Aaaaargh. Pourquoi ne pas y avoir pensé avant?

J'arrive au commissariat et je constate le bon état du bâtiment. Le parking vient d'être pavé. Chaque centime des fonds publics est consacré à la lutte contre la délinquance. Je ne vois nulle part les décors de *New York Police Blue* auxquels la télé m'a habitué, avec leurs murs sales. Le sol est propre, les meubles sont neufs, l'éclairage est parfait. La dame policier à l'accueil est assise derrière un bureau lisse et joliment arrondi qui souligne l'esprit *feng shui* de l'endroit. Je pense qu'ils ont fait appel à un décorateur d'intérieur pour que les prostituées et les petits délinquants qui viennent d'être arrêtés se sentent plus à l'aise pendant qu'on relève leur identité.

Je dis à la femme: «On m'a demandé de venir», comme s'il ne pouvait rien y avoir de plus ridicule. «La police veut me parler.

— À quel sujet?

— Euh… Quelqu'un a été tué là où je travaille. Enfin, pas là où je travaille, mais…

— D'accord, homicide. Vous voulez parler aux homicides.»

J'ai envie de préciser que je ne veux parler à personne. Ce sont eux qui veulent me parler. Mais je me contente de hocher la tête, elle décroche le téléphone et appelle quelqu'un. Elle échange quelques mots et se tourne vers moi.

« Votre nom ?

– Jake Skowran.

– Le nom de la victime ?

– Euh… » Je fais comme si ça n'avait pas d'importance pour moi et réponds finalement : « Brecht, je crois. »

Elle répète cette information au téléphone, puis me demande de m'asseoir. Je m'assois sur un canapé de cuir super chic, environné de plantes bien soignées, et je regarde les gens entrer et sortir pendant quelques minutes.

Et je la vois.

La fille d'hier soir au bar. En uniforme. Elle est flic ! Elle ouvre la porte vitrée et passe devant moi.

« Salut », je fais pour attirer son attention

Elle baisse les yeux vers moi, elle me reconnaît. « Oh, salut.

– On s'est vus hier soir chez Tulley.

– Ouais, je m'en souviens. » Sa voix est toujours enfumée et rauque, et elle m'excite de nouveau. J'aime sa façon de me regarder en face quand elle parle. « Qu'est-ce que vous faites là ? »

Bonne question. Qu'est-ce que je fais là ? Je réponds vite : « Pour des contraventions. » C'est la première fois que je mens à la police.

Serviable, elle me dit : « Ici c'est le bâtiment Un, le central. Vous vous êtes trompé d'endroit. » Elle est interrompue dans ses explications par l'arrivée d'un grand type musclé, chemise blanche parfaitement repassée, portant un holster.

«Mr. Skowran?

– Oui?»

Elle se tait. Elle a vite compris que je lui racontais des bobards. Pour mentir à la police, j'ai raté mon coup d'essai.

«Je suis l'inspecteur Martz. Vous pouvez venir par ici.» Il me fait signe de le suivre.

«Content de vous avoir revue.

– Ouais.

– À propos, vous vous appelez comment?

– Agent Zadow.» Elle me montre son badge.

«Non, votre prénom.

– Sheila.

– Sheila. C'est joli.» Je vais être interrogé à propos d'un meurtre que j'ai commis et j'essaie de draguer un flic dans les couloirs du commissariat. Je regarde sa main gauche, pas d'alliance. Je lui fais mon sourire à la Jake le plus chaleureux. «J'espère vous revoir chez Tulley.

– J'y serai jeudi, dit-elle. Pour la finale du tournoi de fléchettes.

– Formidable. Je vous retrouve là-bas.» Je dis ça comme si elle venait d'accepter un rendez-vous. Je me tourne vers l'inspecteur Martz qui attend patiemment. «Allons-y.»

Voici ce que les flics font de moi:

L'inspecteur Martz me conduit à travers un labyrinthe de couloirs et me fait asseoir dans une pièce où il y a deux chaises. Les murs sont en parpaings et je les regarde pendant un quart d'heure, jusqu'à ce que la porte s'ouvre enfin et qu'un autre inspecteur, qui ne se présente pas, entre en tenant un dossier.

«Vous êtes Mr. Kendrick?» Avant que je puisse répondre non, il ajoute: «Non, Mr. Kendrick est noir.»

117

Il hoche la tête en se félicitant d'avoir réglé ça. Il s'en va. Cinq minutes plus tard, un troisième inspecteur ouvre la porte et demande : « Mr. Skowran ?

– Ouais ?

– Venez avec moi, s'il vous plaît. »

Nous faisons moins de deux mètres dans un couloir et entrons dans une autre pièce, où il me demande d'attendre une minute. La pièce est identique, sauf qu'il y a deux chaises ET une table. Je reste les coudes sur la table pendant dix minutes en me demandant si c'est un truc de flics de vous faire croire qu'ils sont trop désorganisés pour attraper un tueur s'il se pointait en criant : « Je suis le Tueur ! », de vous donner un faux sentiment de sécurité, pour ensuite vous annoncer brutalement qu'ils savent tout, qu'en réalité ils sont tous malins et bien organisés. Je remarque un stylo sur la table et le contemple pendant quelques instants. Il y a « Shawford Industries » écrit dessus, suivi d'un numéro de téléphone. Je me souviens de Shawford Industries, un parc d'activités à une demi-heure au nord de la ville qui a fermé peu après notre usine. J'essaie de faire tenir le stylo en équilibre sur mon nez, puis, sans raison, je le mâchouille. Je le repose et la porte s'ouvre.

Encore un autre inspecteur. « Mr. Skowran ?

– Oui ?

– Je regrette, l'inspecteur chargé de l'enquête sur l'homicide de Brecht n'est pas là pour le moment.

– Qu'est-ce que je dois faire ?

– Vous pourriez l'appeler plus tard dans la journée ?

– Vous avez son numéro ? »

L'inspecteur me tend une carte de visite en disant : « Merci d'être venu.

– Ouais, c'est ça. » Je n'avais rien de mieux à faire pendant une heure que de m'asseoir sur des chaises différentes et mâchouiller des stylos. J'ai failli le dire, mais je me suis tu.

Je dis gentiment au revoir et jette la carte de visite dans la corbeille à papier du hall d'entrée. La corbeille est en bois travaillé à la main. Voilà où vont les fonds publics.

Je suis de retour chez moi et je me sens en sécurité (mon opinion de la police locale est encore pire que jamais) quand Karl débarque. Pour une fois, je suis tout à fait réveillé.

« Karl, mon vieux. Content de te voir. » Tu parles.

Il sourit presque. Il est d'une amabilité suspecte. Nous descendons à la voiture et il entame la conversation.

« Où tu étais ? Je t'ai pas vu depuis quelques jours.

– Tu viens d'où ? » Je fouille dans mes poches à la recherche d'un stylo-bille. « Merde. Tu aurais un crayon ? Je dois noter quelque chose. »

Karl se tait quelques secondes puis : « De Shawford. Je travaillais à Shawford Industries, mais j'ai été licencié. »

Je suis sur le point de lui parler de mes deux rencontres en une journée avec Shawford Industries, mais il m'interrompt. « J'ai piqué des tas de stylos en partant. » Il en tire un de la poche de sa veste et me le tend.

Pour la deuxième fois dans la journée je contemple un stylo de Shawford Industries. C'est le même. Il a les marques de mes dents.

Je suis ahuri, je me demande ce que je dois comprendre. Mais Karl me dit : « Hé, mon pote, si tu t'en sers pas, tu peux me le rendre ? »

Je le lui rends.

119

«Tu as piqué quelque chose quand tu as été licencié?»
Le ton est enjoué. Je sais immédiatement que quelque
chose ne va pas. Karl n'a jamais été licencié.

«Non.» Karl commence à m'expliquer comme c'est
formidable de faucher à son boulot. Je fais semblant de
l'écouter, mais j'essaie de réfléchir. Karl était au commissariat aujourd'hui. Il y était parce qu'il y travaille.

Il n'y a pas d'autre explication.

Quand nous nous arrêtons devant le lieu de rendez-
vous préféré de Ken Gardocki, le bar perdu au milieu des
bois, il commence à neiger. Gardocki est sur le parking,
où il s'amuse avec un chiot rottweiler qui fait des bonds
pour essayer d'attraper les flocons. Il me fait signe.

«Jake, comment tu vas? Regarde ce petit bonhomme.»
Je jette un coup d'œil sur le chiot. C'est vrai qu'il est
mignon, mais il y a juste derrière moi un flic infiltré, qui
attend que l'un de nous fasse une gaffe, dise quelque
chose qui fera tout sortir au grand jour. Est-ce qu'il porte
un micro? Il est à quelques centimètres de mon épaule
gauche, je sens presque sa respiration dans mon cou pendant que je regarde le chiot. L'invasion de mon espace
me dérange.

Comme je pense que Gardocki va s'amuser toute la soirée avec ce clébard, je dis finalement: «Ken, je voudrais te
parler une seconde.

– Bien sûr, Jake. Moi aussi je veux te parler.» Le chiot
vient vers moi et sautille sur mes bottes pour attirer mon
attention. Je regarde droit devant moi.

Je fais un pas vers Gardocki. Karl me suit. Je me retourne
et dis poliment: «Tu pourrais aller à l'intérieur une
minute? G. et moi devons avoir une conversation privée.»

120

Karl recule mais n'entre pas dans le bar. Le chiot renonce à moi, court vers Karl qui se met à jouer avec lui.

« C'est un amour, pas vrai ? dit Gardocki. Je l'ai eu aujourd'hui. Je l'ai appelé Rufus Junior.

– Qu'est-ce qui est arrivé à Rufus Senior ? », demande Karl, qui sait parfaitement ce qui lui est arrivé. Il m'a donné le pistolet pour le faire, il est tout le temps fourré avec Gardocki, il sait que sa femme et son chien sont morts. Il ne pose la question que pour avoir un enregistrement, je suppose. Avant que Ken puisse lui donner une réponse quelconque, je me retourne brusquement vers Karl.

« Tu es sourd ou quoi ? Je t'ai demandé d'entrer dans le bar.

– Hé, vieux... » Il doit considérer que notre séance de rapprochement, quand il m'a avoué qu'il volait des stylos dans une usine imaginaire où il n'a jamais travaillé, nous a rendus amis pour la vie.

« Du calme, Jake », dit Gardocki. Il cesse enfin de ne s'intéresser qu'au chiot et s'adresse à moi. « Qu'est-ce qui te prend ? »

Je regarde toujours Karl. « Va dans ce putain de bar. Fous-nous la paix.

– J'accepte pas d'ordres de toi...

– Ken, tu veux bien dire à ce sale con d'aller dans ce putain de bar pour que nous puissions parler ? »

Gardocki et Karl se regardent, Gardocki lui fait un signe de tête. « Nous serons là dans quelques minutes, dit Ken. Commande-nous un pichet de bière. »

Karl se dirige vers le bar en me lançant ce qu'il croit probablement être un regard dur. Je le surveille jusqu'à ce que la porte se soit refermée sur lui.

« Ken, ce type est un flic.

– Oh, tu fais chier, Jake. Tu l'as jamais aimé.

– Et maintenant je sais pourquoi. Parce que c'est un flic. Il était au commissariat aujourd'hui. »

Gardocki réfléchit. « Et toi, qu'est-ce que tu y faisais ?

– Les flics m'ont demandé d'aller leur parler.

– De quoi ?

– Du type du magasin, Brecht. Je suis soupçonné.

– Espèce de sale con, je t'avais dit de balancer ce pistolet…

– C'est pas la question. Karl était là. Il était au commissariat. »

Ça le laisse froid. « Tu y étais aussi. Ça veut dire que tu es un flic ? »

Je me prends la tête à deux mains et me mets à tourner en rond. Le chiot sautille autour de mes bottes. Je lui donne un coup de pied et il pense que je veux jouer, alors je frappe plus fort. Le chiot jappe.

« Héé ! crie Gardocki. Qu'est-ce qui te prend ? Tu as déjà tué un de mes chiens… »

Je prends une grande respiration. « Tu t'es entendu ? »

Gardocki console le chiot qui remue la queue comme un fou en me regardant avec méfiance.

« C'est exactement le genre de gaffe qu'il attend, Ken. Il porte un micro, je te le garantis. »

Gardocki réfléchit. Il n'est pas idiot, il sévit dans cette ville depuis un quart de siècle. Toute la drogue et tout le jeu passent par lui. Il n'est pas arrivé là où il est sans étudier une situation sous tous les angles, et je peux voir que j'ai marqué un point, qu'il envisage vraiment l'idée que Karl pourrait être un flic.

Je lui demande : « Comment tu l'as rencontré ?

– Dans un bar. Chez Tulley. Il y a cinq mois environ.

Il a dit qu'il cherchait du travail. Il était avec un type de chez Shawford que je connaissais et qui rapportait de la drogue du Canada. Il s'est porté garant.»

Je réfléchis. «Ce type a dû se faire prendre. Il a proposé un arrangement. Te présenter à Karl en échange de sa liberté. La drogue, le jeu. Ils voulaient t'avoir. Ils savaient que tu étais ce qui ressemble le plus à un patron de la mafia dans cette ville. C'est un coup monté.»

Gardocki est ailleurs, il réfléchit. «J'ai jamais revu ce type. Tu as peut-être raison.

– Pas peut-être.»

Gardocki va à sa voiture de sport, ouvre le coffre et en sort un objet enveloppé dans un chiffon graisseux. Il me le tend. Je n'ai même pas besoin d'ouvrir le chiffon. Je connais ce poids à présent. Je mets le tout dans la poche intérieure de mon manteau.

«Allons parler à Karl», dit Gardocki.

Nous entrons dans le bar, où Karl attend pour commander les bières. Gardocki lui pose une main sur l'épaule. «Prenons deux packs de six et allons dans mon chalet.»

Karl hausse les épaules, commande les packs de six, et Gardocki paie.

Nous montons en voiture et Gardocki fait signe à Karl qu'il conduit lui-même. Je m'installe à l'arrière et Gardocki s'engage sur la petite route sinueuse de campagne, en tournant le dos à la ville. Le paysage est de plus en plus sauvage, et la neige tombe de plus en plus fort.

«Tu as un chalet par là-bas?» demande Karl, et je me demande si je sens autre chose dans sa voix que de la curiosité.

Gardocki fait signe que oui et allume la radio. Nous

roulons pendant encore quelques minutes, et je ne vois pas une seule voiture sur la route, ni dans un sens ni dans l'autre, rien que la neige, de plus en plus abondante.

« Nous allons vers l'Upper Peninsula ? » demande Karl, et cette fois je suis sûr d'entendre de la peur. Comme s'il essayait de la dominer. Gardocki arrête la voiture sur le talus. « J'ai besoin de pisser, dit-il. Quelqu'un d'autre ? » Il me regarde.

« Moi aussi. » Et je saute de la voiture. C'est le grand silence, à part le chuintement presque inaudible de la neige qui tombe à travers les sapins tout autour de nous. Gardocki va vers un fossé, et je trouve un endroit à quelques pas. Je m'attends à ce qu'il me parle, qu'il me dise quelque chose que Karl ne doit pas entendre, mais Karl sort de la voiture et se tient entre nous. Soit il s'est cru exclu de la conversation, soit il avait vraiment besoin de pisser, je ne sais pas.

Je ne sais toujours pas. Je recule, je vais derrière Karl, je sors le pistolet et je lui tire dans la nuque.

BANG.

Karl tombe en avant dans le fossé.

Gardocki hurle. Il fait un bond en arrière, sans lâcher sa bite. « Qu'est-ce que tu fous ?

– Je l'ai buté, Ken. C'est pas ce que tu voulais ?

– Espèce de sale maniaque ! Tu es fou à lier ! Qu'est-ce qui t'a pris ? » Gardocki est blême. « Je voulais lui parler.

– De quoi ?

– Pour savoir si oui ou non c'était un flic. Tu te rappelles, Jake ?

– Et tu pensais qu'il serait complètement franc avec toi ? » Je remets le pistolet dans ma poche et je regarde Gardocki. « Tu veux bien ranger ta bite ? »

Gardocki range sa bite et va regarder Karl dans le fossé. «Nom de Dieu.» Puis il se retourne vers moi. Malgré une existence de malfrat, je doute qu'il ait jamais vu un cadavre avant ou assisté à une mort. Pour moi, c'est de l'archiconnu.

Je descends dans le fossé, je tire sur la veste de Karl et soulève sa chemise. Pas de micro. Je sors son portefeuille, je parcours ce qu'il y a dedans. Un permis de conduire du Wisconsin. Karl Ravecheska. Une carte de membre d'un club de bowling. Quatre-vingts dollars en liquide, quatre billets de vingt. Rien d'autre. C'est peu pour un porte-feuille. Je le lance à Ken.

Ken l'examine. «Rien peut me faire penser que c'était un flic.»

Je retourne le corps de Karl, je cherche toujours le micro. «À quoi tu t'attendais? Une carte de club sportif de la police? Ça s'appelle travailler sous couverture, Ken. C'est ce que tu ne vois pas qui est important. Pas de pho-tos de sa famille, pas de carte de réduction du supermar-ché, pas de carte de bibliothèque. Ce permis, c'est le seul faux papier d'identité que les flics se sont donné le mal de fabriquer. Ça, c'est un faux portefeuille. Le vrai est proba-blement au commissariat.» Je fouille les poches de Karl. Cigarettes. Monnaie. Bouloches.

«Pas de micro, hein? demande Gardocki.

– Pas encore.» Pour la première fois, je me dis que j'ai pu commettre une erreur, et Gardocki sent mon doute.

«Tu viens de buter mon assistant, dit-il. Tu as buté mon assistant, ma femme, mon chien, ton patron...

– Tu m'as payé pour buter ta femme.» Je ne fais pas vraiment attention à lui. Je me mets à transpirer, l'idée d'avoir tué quelqu'un pour rien commence à prendre une place énorme dans mon esprit. Je ne veux pas que

Gardocki voie ma tête, alors je me détourne de lui. Pour des raisons dont je ne suis pas sûr, je délace la botte droite de Karl et la tire.

« Tu vas tuer tout le monde dans cette ville ? demande Gardocki.

– Le temps le dira. » Je secoue la botte droite. Rien. Je délace l'autre et je tire dessus.

« Qu'est-ce que tu fous encore ? Tu le déshabilles ? »

Je secoue l'autre botte. Un bout de plastique tombe dans la neige. Je le ramasse.

« Tiens. » Je lui tends la carte.

Ken lit : « Karl Grohleiter, police du Wisconsin. Bordel de merde. »

Je saute sur la route. « On se tire. Dans deux heures, la neige l'aura recouvert. »

Nous repartons dans ce qui est devenu un blizzard, sans rien dire, en écoutant le mec d'une radio qui nous le décrit. « Ça tombe vraiment », dit-il. Je regarde dehors. Je n'y vois rien parce que ça tombe vraiment. Le suivi de la tempête a un côté rassurant.

« On vient de tuer un flic, dit Gardocki.

– Ouais.

– C'est la peine de mort.

– Y a pas de peine de mort dans le Wisconsin.

– Tu es sûr ? » Ça a l'air de lui remonter le moral. Je n'ai jamais compris pourquoi il y a des gens qui ont peur de la peine de mort. Moi, j'ai peur de passer ma vie en prison. Après avoir accepté mon premier boulot, la femme de Gardocki, je suis allé à la bibliothèque me renseigner sur la peine de mort, et j'ai été déçu de voir que le Wisconsin ne l'applique pas.

« De toute façon, le seul moyen de remonter jusqu'à nous, c'est par les mecs qui l'ont vu avec nous dans le bar.

– Ils seront corrects, dit Gardocki. Je les connais depuis des années. C'est des bons *youpers*. » Des *youpers*, des gars de la campagne de l'Upper Peninsula, qui aiment boire et qui s'occupent de leurs affaires. Je ne suis pas convaincu.

« Mettons-nous d'accord sur une histoire, au cas où.

– OK. » Gardocki compte sur mes conseils désormais. Il respecte mon opinion et mon expérience dans ce domaine parce que j'avais raison à propos de Karl. C'est agréable d'avoir quelqu'un qui respecte vos suggestions, je n'avais pas connu cette sensation depuis la fermeture des usines. Je suis devenu un partenaire indispensable pour le plus riche truand de la ville.

« C'était quoi ce boulot urgent dont tu voulais me parler ? »

Gardocki est perdu dans ses pensées. Il en sort brutalement. « Oh, ça, ouais. » Il tire un bout de papier de sa poche arrière et me le tend. « Miami. Tu dois être là-bas le week-end prochain.

– Miami ?

– Ouais. » Gardocki est fatigué, distrait. La mort du flic l'a vraiment ébranlé. « On en parlera demain.

– Très bien. »

Le lendemain matin, avant de contacter Gardocki, je vais au magasin me renseigner sur mes horaires. Tommy est derrière le comptoir, il lit une note d'information marquée du logo de Gas'n'Go qui a l'air d'être importante.

« Ils essaient de vendre ce magasin, dit-il. Tu imagines la merde ? On va *encore* être licenciés. »

127

Je regarde la note. Elle invite les acheteurs potentiels à prendre le magasin en franchise. Gas'n'Go Huit Cent Dix-Huit est mis aux enchères. Le reste de la note est un baratin sur la perte de Brecht qui est un coup porté à toute l'humanité, en particulier aux enfants affamés, et sur la nécessité de redécouper le territoire, ce qui oblige la société à vendre des magasins du secteur de Brecht. Si le magasin n'est pas vendu d'ici au 1er février, il sera démoli.

Suit une liste des magasins à vendre, elle contient deux noms: le nôtre, et celui du magasin Wolsely, qui se trouve également dans un mauvais quartier. Gas'n'Go ne veut pas qu'un autre cadre supérieur en puissance se fasse trouer la tête dans notre ville. Ils liquident leurs affaires situées dans les ghettos.

«Ils demandent combien?

– Une franchise coûte quarante mille.

– On achète le magasin. Toi et moi.»

Tommy hausse les épaules. «Vingt mille chacun?

– Ouais.

– Tu vas devoir me prêter vingt mille, parce que je peux même pas payer mon hypothèque en ce moment. Oh, attends, tu gagnes moins que moi ici et ta télé est au clou. Je suis forcé de dire non.

– Je peux trouver l'argent.

– Comment tu vas trouver l'argent, Jake?

– Je peux trouver l'argent.

– Jake, arrête tes conneries. Regarde-toi, tu voles des cigarettes, tu dois aux bookmakers combien, cinq mille dollars? Tu...

– Je trouverai l'argent.»

Tommy se tait. Il prend un paquet de cigarettes sur le

présentoir, en douce, pour que les caméras ne le voient pas (bien qu'il y ait peu de chances qu'ils envoient un autre responsable pour visionner les bandes) et me fait signe de sortir.

Dehors, la réverbération du soleil sur la neige fraîche de la nuit dernière est aveuglante. Des voitures et des camions passent en chuintant.

« Où tu vas trouver l'argent, Jake ?

– Je peux le trouver. Avant le 1er février.

– Par Ken Gardocki ? Ça fait un moment que tu parles plus de ta dette de jeu. Tu travailles pour Gardocki ?

– Tu veux l'argent ? Je peux le trouver.

– Tu as tué la femme de Gardocki ?

– Ta gueule, Tommy. Pourquoi tu me demandes ça ?

– Tu as tué Brecht ?

– Nom de Dieu, Tommy… » Il me regarde comme un maître d'école qui sent que vous avez fait une bêtise, comme s'il allait me sermonner. On vient de lui annoncer la possibilité d'un deuxième licenciement en un an. Lui, sa femme et sa fille sont sur le point de perdre leur maison, leur voiture, de finir à la rue, et il s'inquiète de savoir si oui ou non son meilleur ami a tué l'homme qui allait le virer. Je trouve tout à coup son sens moral grotesque.

Je réponds avec colère. « Ouais, Tommy. Je les ai butés. Je les ai butés tous les deux. Elle c'était une pute qui trompait son mari et courait après le fric, et lui c'était un sale con. Et tu sais quoi ? Il allait te virer et embaucher un remplaçant. Parce que… » Je m'aperçois que je crie, mais je ne m'arrête pas. « Parce que tu as pas mis les produits Wenke sur CETTE PUTAIN D'ÉTAGÈRE D'EN HAUT ! »

Tommy me regarde toujours, sans expression. Il allume une cigarette, ses doigts tremblent légèrement. Il va me demander de partir pour ne jamais revenir, me dire que nous ne sommes plus amis, que je ne dois jamais remettre les pieds dans le magasin.

«Combien Gardocki t'a payé? Pour buter Corinne?»

Je réponds doucement: «Cinq mille. Cinq mille, mais presque tout a servi à payer ma dette de jeu.

– Merde alors.» Tommy est impressionné, il secoue la tête d'un air incrédule. Il tire de nouveau sur sa cigarette. «Tu as tué quelqu'un d'autre?»

Je fais signe que oui.

«Quelqu'un que je connais?

– Non.

– Ben dis donc… C'est une drôle de merde.» Je cherche sur son visage des signes d'émotion, de fureur, de haine, de méfiance. Il a l'air de réfléchir, presque avec détachement.

Je demande: «Tu veux toujours qu'on ait un magasin ensemble?»

Tommy jette sa cigarette d'une chiquenaude. «Tu es toujours Jake, hein? Je suppose que ça change pas grand-chose. Mais je veux que tout soit à mon nom, au cas où les flics nous chercheraient des ennuis.» Il débite nerveusement d'autres conditions, surtout des conseils financiers de bon sens sur les actifs à dissimuler. Aucune leçon de morale. Il finit par: «… et si tu peux réunir l'argent comme tu le dis, alors je pense qu'on est associés.»

Je lui serre la main. «Associés.»

Il redevient nerveux, il veut savoir ce qui arrivera si la police vient me chercher, et s'il serait capable de passer au détecteur de mensonge. Je lui mets la main sur l'épaule.

«T'inquiète pas, Tommy. Tout ira bien.»

Tommy a une foule de questions à me poser, la plupart à propos du mécanisme des opérations, où je trouve les armes, si j'ai besoin d'une fausse identité, etc. J'y réponds volontiers. L'absence de surprise chez lui est l'aspect le plus intrigant de l'interrogatoire. On dirait qu'il savait déjà tout.

« Pourquoi Gardocki te paierait pour tuer Brecht ? demande Tommy comme s'il essayait de rassembler les pièces du puzzle.

— Il l'a pas fait. C'était un spécial Jake Skowran. Tu aurais dû voir les dossiers qu'il avait sur nous. Nous étions tous visés, d'une façon ou d'une autre. Il allait te rétrograder et diminuer ton salaire.

— À cause des produits Wenke ?

— Exact. »

Tommy jette sa cigarette. « Le salaud. J'ai une femme et un enfant.

— Je sais. Ça sera plus un problème. »

Tommy voit tout à coup l'avantage d'être en bons termes avec quelqu'un qui tue des gens. C'est une position sûre. Et maintenant que Tommy sait tout, je vois que c'est bien plus facile de s'absenter de son travail quand son patron sait qu'on est tueur à gages.

Je dis à Tommy : « Je dois aller à Miami ce week-end. J'ai un autre boulot en vue. J'aurai besoin de me libérer.

— Je parlerai à Patate. Et vois ce que tu peux faire pour avoir une avance de Gardocki pour le magasin. Le 1er février est pas si loin. »

Je suis au Gas'n'Go depuis environ une heure. Le téléphone sonne.

« Jake ?

– Ouais?

– C'est Ken.

– Hé, comment tu vas?

– Écoute, je suis suivi. Des flics.»

Un client entre et se fait un café. Je baisse la voix. Je suis sûr que Ken devient parano parce que nous avons buté un représentant de l'ordre. Nous. Moi. N'importe.

Je le rassure: «Je suis convaincu que personne te suit, Ken.

– Écoute-moi, petit con. Ils essaient même pas de se cacher. Il y a vraiment une voiture de police à trente mètres derrière moi partout où je vais. Je t'appelle d'un téléphone public dans un cinéma. C'est le seul endroit où je peux aller pour être à l'abri de ces branleurs. Y en a un en civil qui regarde le film avec moi.

– Quel film?» Je suis un mordu de cinéma. Même quand j'étais à sec, il me restait toujours assez pour un film par semaine.

Ken m'ignore. «Je dois y aller. Je te dis seulement qu'à mon avis ils vont bientôt commencer à arrêter tout le monde. Fais gaffe que tout soit en ordre et que tu puisses répondre aux questions.

– T'inquiète pas. Ils n'ont rien.

– Ils n'ont rien», il répète, mais je le sens inquiet, et heureux de m'entendre le calmer. «Je dois retourner dans la salle.» Il raccroche.

J'appelle Tommy chez lui. C'est Mel qui répond, elle est contente d'avoir de mes nouvelles et nous bavardons, quelques plaisanteries en l'air sur la prochaine fois où j'irai dîner chez eux. Puis elle me passe Tommy.

«Qu'est-ce qui t'arrive, vieux?» J'entends la télé dans le fond.

Je lui dis à voix basse : « Écoute bien, Ken Gardocki vient de m'appeler. Les flics le surveillent de très près, et moi aussi, probablement. J'aurai peut-être besoin que tu lui passes des messages si nous devons communiquer. »

J'entends Tommy faire la grimace, et je connais laquelle. C'est celle qu'il fait à la moindre contrariété, une livraison en retard, une vérification de rendement, une demande pour qu'il participe à un contrat. « D'accord, dit-il sans conviction.

– À plus tard.

– À plus tard. »

Je raccroche. Le client attend avec son café. Je me demande si c'est un flic. Je prends son dollar et le regarde retourner à son pick-up blanc déglingué avec le logo d'une entreprise de couverture sur le côté. Il y a des échelles sur le toit, et du matériel de couverture à l'arrière. Je l'ai déjà vu. Il est couvreur. Quand il démarre, je respire un peu mieux.

Mais c'est comme ça que je dois regarder les gens dorénavant.

7

Et le lendemain, ça commence.

On frappe à la porte. « Monsieur Skowran ? »

Il est dix heures du matin. Je viens de m'endormir après avoir passé toute la nuit au magasin. Les premiers coups, je fais semblant de ne pas les remarquer, puis j'entends une radio de la police dans une voiture garée dans la rue, et je comprends tout de suite ce qui se passe. Je me traîne vers la porte en prenant l'air plus ensommeillé que je ne le suis. Je demande sur un ton grincheux: «Qui est là?

– Monsieur Skowran, ouvrez la porte s'il vous plaît.»

J'ouvre la porte en en faisant toute une affaire, et quatre hommes se précipitent à l'intérieur, deux flics en uniforme et deux en civil. Suivis d'un cinquième et d'un sixième.

«Qu'est-ce qui se passe, bon sang?» Je proteste, en sachant exactement ce qui se passe. «J'allais me coucher.»

Le premier entré me tend un papier. «Nous avons un mandat de perquisition. S'il vous plaît, voulez-vous signer ici que vous avez lu et compris les termes du mandat?» Il me tend un stylo.

«Pour chercher quoi?» Je me frotte les yeux en en rajoutant pas mal.

«Nous souhaiterions que vous veniez au commissariat pour répondre à quelques questions.

– De quoi il s'agit?

– Lisez le mandat s'il vous plaît.»

Les flics passent devant moi et se répandent dans l'appartement, l'un va dans la cuisine, un autre dans la chambre, un autre dans la salle de bains. Ils reviennent.

«Il n'y a personne d'autre ici, dit l'un.

– Sans blague, j'aurais pu vous le dire.

– Commencez par fouiller la chambre, dit le gros flic en civil. Monsieur Skowran, habillez-vous s'il vous plaît et accompagnez-nous au commissariat.

– Je suis en état d'arrestation?

– Pas encore.

– Alors je ne suis pas obligé de venir?

– Je vous le conseille, dit-il. Je peux demander à ces hommes de fouiller gentiment ou méchamment. Si vous

134

voulez faire le malin, il ne restera rien de votre appartement. Ça dépend de vous.

– D'accord, d'accord. Bordel. » Je marmonne, irrité, et retourne dans ma chambre avec un flic en uniforme qui va me regarder mettre mon pantalon. Je ramasse un jean par terre, il me le prend des mains et tâte les poches pour voir si j'y ai caché une arme. Il me le rend.

« Qu'est-ce que vous cherchez ? » Je continue de faire semblant d'être stupéfait.

« C'est dans le mandat, monsieur », dit le flic. Je déteste qu'on m'appelle monsieur alors qu'on veut dire ducon. Ça se voit à l'attitude des gens. « Monsieur » était un mot qui impliquait le respect, mais ces gens-là le disent avec mépris. Les videurs et les flics font beaucoup ça.

« Ne m'appelez pas monsieur, je travaille pour vivre. » Il me regarde tranquillement mettre ma montre.

Je me retourne face à lui. « Vous voulez que je mette les mains derrière le dos pour me passer les menottes ?

– Vous n'êtes pas en état d'arrestation.

– Ducon. » Je le pousse de côté et je sors avec l'inspecteur.

Assis à l'arrière de la voiture de police je regarde par la fenêtre et je vois ma ville défiler. La neige goutte des boîtes aux lettres défoncées au bout d'allées boueuses. Quelques maisons sont barricadées avec des planches, des maisons qui il y a un an encore étaient prospères, avec des enfants qui jouaient sur la pelouse. Un feu de signalisation est tombé sur la chaussée près d'une intersection autrefois très encombrée. Il sera encore là dans une semaine.

Je réfléchis à ce qui se passe, et je sais que c'est moi qui mène le jeu. Ils n'ont rien. S'ils avaient quelque chose, ils m'arrêteraient. Rien chez moi ne me relie à quoi que ce soit, ils peuvent chercher tant qu'ils voudront. Je me demande si Sheila est au commissariat ou si c'est son jour de congé. Après l'interrogatoire, je l'inviterai peut-être à déjeuner. Ou bien je retournerai simplement me coucher.

Cette fois, les flics sont prêts à m'interroger et ils ont préparé la salle d'interrogatoire, elle m'attend. Moi, je n'attendrai pas sans fin. Je vois l'inspecteur Martz, costaud sous sa chemise blanche repassée, et je lui fais un petit signe de tête en m'asseyant sur La Chaise, il ignore ma badinerie. Il ouvre un dossier pendant que deux autres inspecteurs s'assoient à sa droite et à sa gauche.

Ça démarre vite.

Martz me lance une photo de Karl. «Vous connaissez cet homme?

– Ouais. C'est Karl.

– Où est-il?

– Je ne sais pas.

– D'où le connaissez-vous?

– Je l'ai rencontré dans le coin.

– Quel coin? demande Martz.

– Vous traîniez ensemble? Vous étiez amis? demande un autre inspecteur.

– Quand l'avez-vous vu pour la dernière fois?» demande le troisième. Alors ça va être ça. La technique du mitraillage de questions. J'ai vu trop d'émissions télé, de documentaires sur la police, surtout sur Discovery Channel avant qu'on me coupe le câble, pour m'étonner de ce qu'ils font. Je les regarde calmement l'un après l'autre.

Je dis poliment: «Un seul à la fois.»

Ils recommencent à me poser tous des questions. Ils ont pris ma demande pour un signe de panique face à leur mitraillage, ils vont continuer jusqu'à ce que j'explose de colère et que j'avoue. *Oui! Oui! J'ai tué Karl! Il est dans un fossé quelque part sur la 27! Mais arrêtez les questions simultanées!* Je secoue la tête. Je regarde Martz.

Je lui dis: «Je l'ai connu dans le quartier.» Je me concentre sur Martz et seulement sur lui, et j'imagine que je n'entends ni ne vois les deux autres inspecteurs.

Ils me posent d'autres questions tous les trois, mais je ne réponds qu'à Martz, qui demande: «Connaissez-vous un certain Ken Gardocki?

– Naturellement, je le connais.

– Pourquoi naturellement?»

Je hausse les épaules. Pourquoi naturellement? Je me suis trahi? Je réponds: «Je le connais depuis des années.

– Êtes-vous au courant de ses activités?» demande Martz. Les autres inspecteurs se sont tus. C'est la technique numéro deux, prétendre qu'ils s'intéressent surtout à quelqu'un d'autre dans l'espoir que je me montre plus communicatif. Quand on parle d'un tiers, on est davantage disposé à parler. Merci aux *Prosecutors*, sur Discovery Channel.

«Il y a des bruits qui courent.

– Savez-vous qu'il est bookmaker?»

Je souris, je ris même. Ils croient que je suis soulagé, que je comprends enfin qu'il ne s'agit pas des meurtres que j'ai commis, mais d'une affaire sans importance, et ils espèrent que je parlerai davantage. J'acquiesce: «Évidemment.

– Avez-vous déjà pris un pari auprès de Mr. Gardocki?

– Oui.

– Savez-vous que les paris sont illégaux dans l'État du Wisconsin?

137

– Oui.

– Ainsi vous reconnaissez un délit majeur.

– Ils sont illégaux seulement si on est payés en argent. Nous, on le faisait pour des points.

– Des points?» Martz me lance le Regard Intimidant, dur et prolongé que j'ai vu dans *The New Detectives*. «Que gagnez-vous lorsque vous avez obtenu assez de «points» ? Il prononce le dernier mot avec dédain, comme s'il n'avait jamais rien entendu de plus ridicule.

«Un VTT.»

J'invente au fur et à mesure, je m'amuse. Pourquoi je suis là? Oui, d'accord, j'ai tué du monde. Mais c'est vraiment une telle priorité pour les autorités locales en ce moment? Au point de pouvoir se permettre une telle mobilisation de main-d'œuvre pour essayer de trouver une raison de m'enfermer et me nourrir pour le reste de mes jours? Ils ont fait de moi un animal, et à présent ils veulent me traiter comme tel?

Martz voit que ce genre de questions ne mène nulle part. Il tire une feuille de papier d'une chemise. «Mr. Skowran, avez-vous parié sur un match entre les Bills de Buffalo et les Jets de New York?

– J'ai parié sur des tas de matchs. Ça se peut bien.

– Qui a gagné?

– Vous rigolez? Donnez-moi une date. Je ne peux pas me rappeler tous les matchs sur lesquels je parie.»

Martz se redresse contre son dossier avec un air de victoire. «J'aurais cru que vous vous rappelleriez celui-là, dit-il lentement. Parce que vous avez gagné cinq mille huit cents… points.» Il me lance la feuille, c'est un des relevés de paris de Ken Gardocki. J'y lis: «JSK (qui doit être mon nom de code) BUF-NYJ-5 800.» Ça peut vouloir dire n'im-

138

porte quoi. Bon, d'accord. Je ne vais pas discuter là-dessus. Ils ont visiblement décrypté les codes de Gardocki.

«Ceci représente certainement assez de points pour votre VTT. Et vous ne vous rappelez pas qui a gagné? Vous ne vous rappelez pas le match qui vous a fait gagner votre VTT?»

Je vais répondre. Mais Martz reprend la main. Il est fort. Dans *The FBI Files*, on ne disait pas à quel point ces astuces psychologiques vous usent à la longue. C'est pour ça que les interrogatoires durent des heures, et nous n'en sommes qu'aux premières minutes. La journée va être longue.

Martz m'interrompt donc. «Je sais que si je gagnais cinq mille huit cents… points… je me souviendrais de tous les détails du match qui m'a rapporté cet argent. Je me rappellerais chaque passe, chaque tentative. À moins, bien sûr, qu'il n'y ait pas vraiment eu de pari. À moins, bien sûr, que quelqu'un m'ait donné l'argent pour que je lui rende un service, comme tuer sa femme, par exemple.»

Waouh. Ces types sont futés. Le coup de la feuille de paris ne les a pas trompés. Le silence s'installe.

Finalement, je dis: «Les Jets ont gagné. Par 24 à 21. Un coup de pied au but dans les trois dernières minutes, qu'ils ont dû botter une deuxième fois parce qu'une pénalité a annulé le premier. Testaverde a réussi 12 passes sur 19, 233 yards gagnés, deux touchdowns, aucune interception.» J'ai rendu ma copie. «Je peux faire ça quart-temps par quart-temps, si vous voulez.»

Et ça continue. Ils me font une surprise après l'autre. Ils savent que Brecht et Corinne Gardocki ont été tués avec la même arme. Ils savent que Brecht était mon patron. Ils savent que Corinne Gardocki était la femme d'un homme à qui je devais beaucoup d'argent. Ils savent que Karl me connaissait. Ils savent qu'il a disparu. Mais je jubile. Parce que, dans le fond, ils ne *savent* rien. Ils n'ont fait que tirer des conclusions intelligentes, et n'ont absolument aucune preuve de rien. Je parais sûrement coupable sur le papier, mais ils n'ont pas de quoi m'inculper, sinon, ils le feraient.

Au bout de deux heures environ, un quatrième inspecteur entre et chuchote à l'oreille de Martz. Martz me regarde et j'ai un léger frisson. Ils ont trouvé quelque chose. Peut-être le corps de Karl.

Martz me regarde d'un air pensif. Technique numéro… On en est à quel numéro? Un peu après trente. Plus son regard se prolonge, moins je m'inquiète. Il le fait durer trop longtemps.

«Vous aviez sept mille deux cents dollars en liquide dans votre appartement», dit-il.

Je réponds vite: «C'est de l'argent à moi.

– C'est beaucoup de liquide, n'est-ce pas?

– C'est pas mal.» Je me dis tout à coup qu'ils vont le prendre. Merde. Je suis de nouveau fauché.

«D'où vient-il?

– Je l'ai gagné, quand je travaillais à l'usine.

– Vous aviez tout cet argent, et pourtant vous avez accepté de rendre votre voiture? Vous êtes resté sans le câble?» Il pousse vers moi des copies de mes relevés de carte de crédit. «Vous n'avez pas payé votre relevé de carte de crédit?

– C'est illégal de ne pas payer ses factures? C'est pour ça que je suis là?» Martz ne répond pas. Ça dure encore deux heures. Je jubile pendant deux heures de plus.

Je rentre chez moi, mon domicile est saccagé. Les flics ont tout mis en pièces. Je croyais qu'ils allaient fouiller «gentiment». C'est bien ce qu'on m'avait promis, non? J'en aurai pour des heures de remise en état. Être tueur à gages a ses mauvais côtés.

Je me pelotonne dans mon lit, l'adrénaline que l'interrogatoire a fait grimper se dissipe. J'ai été bon. Je n'ai pas craqué. Pas gaffé. J'ai un vrai talent pour ça.

Je m'endors enfin, après une rude journée de travail.

Je suis en train de sortir un pack de six du réfrigérateur à l'arrière du 4x4 de Ken Gardocki quand il me dit: «Jake, je veux que tu descendes le type qui baisait ma femme.

– D'accord. Pas de problème.» J'arrache une bière du pack et la lui tends pendant que nous avançons sur la glace avec nos pliants. «Où et quand?»

Deux jours ont passé depuis l'interrogatoire, depuis que les flics m'ont volé mon fric à titre de «pièce à conviction». J'ai dû aller voir Gardocki pour lui demander s'il pouvait m'avancer de quoi vivre les prochains jours, je croyais qu'il serait horrifié de me voir dans son bureau, qu'il piquerait une crise de paranoïa parce qu'«ils nous surveillent», mais quand il a ouvert la porte il a souri et m'a fait entrer. Il m'a donné trois billets de cent et m'a proposé d'aller pêcher avec lui à Bear Lake.

Les flics avaient aussi un mandat contre Gardocki, et mis à part le VTT, nos histoires coïncidaient parfaitement. Ils nous avaient interrogés à la même heure, ils avaient salopé son bureau exactement comme mon appartement. Mais Gardocki, avec sa longue expérience d'entreprises criminelles, avait mis son argent à l'abri ailleurs. Quand je lui ai parlé de la confiscation de mon récent magot, il a fait un geste de la main avec une grimace, comme pour dire : « Je déteste quand ces choses-là arrivent ».

« Miami », dit Gardocki en s'agenouillant pour casser la glace. Nous sommes à des centaines de mètres de la hutte où un trou a déjà été percé dans la glace, mais Gardocki ne veut pas s'en approcher parce qu'il a peur des systèmes d'écoute. Nous ne parlons de rien ni dans son bureau, ni dans sa voiture, ni dans aucun des lieux qu'il fréquente, pas même au bar Du Bout du Monde. Surtout pas là. Gardocki pêchait là il y a quelques semaines, nous sommes donc dehors sur la glace, et il creuse un nouveau trou.

Je dis : « Il paraît que c'est bien, Miami, à cette époque de l'année.

— Je pense qu'il vaudrait mieux que tu emmènes quelqu'un. Une fille, par exemple.

— Une fille ?

— Ouais. Tu connais bien une fille, non ?

— J'en connais quelques-unes. Je ne suis pas sûr qu'il y en ait une qui veuille aller à Miami avec moi. »

Gardocki rigole. « Demande-le gentiment. Tu es beau gosse. Billet d'avion à l'œil, deux ou trois jours au soleil. Qui refuserait ? »

Qui refuserait ? Des tas de gens. Depuis que Kelly est partie, je n'ai pas eu une heure de conversation avec des femmes. Ma colère face aux licenciements et ma colère face à l'abandon immédiat, presque clinique, de Kelly se sont fondues en une seule fureur contre le monde, contre les femmes, les relations sentimentales, la procréation, la survie des espèces. Je ne m'intéressais plus à rien ni à personne. Ma carrière de tueur à gages a un peu calmé ma

142

colère, et j'éprouve de nouveau de l'intérêt. Mais je ne me vois pas en train de demander à une femme de passer trois jours entiers avec moi à Miami. Je ne suis même pas sûr de vouloir passer trois jours avec qui que ce soit.

«Je crois que je serais mieux tout seul.

– Ça va pas? Ils surveillent tout ce que tu fais. Ils me surveillent. Ils découvriront que c'est moi qui ai acheté le billet. Ensuite ils verront que tu es allé tout seul à Miami, que tu y es resté trois jours, et qu'un type est mort dans un hôtel pendant que tu y étais. Nom de Dieu, Jake, ils ont déjà assez de preuves indirectes comme ça. Tu peux pas continuer à raconter éternellement des blagues de VTT à ces types, ils sont sérieux.» Il marque une pause. «Mais si tu avais une femme avec toi, ça serait moins suspect. Tu pourrais dire que je vous ai prêté du fric pour que vous preniez quelques jours de vacances, parce que ton compte bancaire va mal en ce moment.

– Je travaille dessus.» J'ai froid.

«Je me fous de ton compte bancaire. C'est pas le problème. Je m'occupe de tout, réservation des chambres et autres, et comme ça, ça paraîtra normal. Tu ne peux pas payer à cause de tes cartes de crédit. Ils savent que nous nous connaissons. Mais s'il n'y a pas une bonne raison pour que tu sois là-bas, la mort du pilote sera plus que suspecte, surtout s'ils font le rapprochement avec Corinne.»

Son argument tient la route. Il me faut une femme. Je vais devoir en trouver une. Mes nouvelles activités me forcent à abandonner ma vie d'ermite, à sortir du cocon où je me suis enfermé depuis les licenciements. Je vais devoir proposer à une femme un rendez-vous de trois jours, et jusqu'ici je n'ai même pas de femme dont je sois sûr qu'elle accepte de sortir un seul soir avec moi.

143

«Ken, honnêtement, je ne connais pas de femmes. Je ne suis pas beaucoup sorti ces derniers temps.»

Gardocki me regarde froidement. «Qu'est-ce qui t'arrive? Trouves-en une. C'est Miami, putain, trois jours dans un hôtel trois étoiles. N'importe qui dira oui. Prends une femme mariée, je m'en fous.» Il tire de sa poche une enveloppe bourrée de billets et me la donne. «Commence par dépenser ça pour elle, ça la mettra en condition.»

Le soleil descend sur le lac et Gardocki et moi, assis sur des pliants, faisons semblant de pêcher en nous soûlant sérieusement. J'entame un nouveau pack de six et lui passe une bière. Il vient de me décrire comment je vais effectuer le travail, et cette fois je ne trouve pas le plan très bon.

«C'est l'affaire de deux cents mètres, me dit Gardocki. Ça sera facile.

— J'ai jamais tiré avec un fusil, Ken. Tu as vu *Il faut sauver le soldat Ryan*? Ça n'avait pas l'air si facile d'être sniper.»

Il hausse les épaules. «C'était un film de guerre. On essayait de le tuer. Là tu es seul, assis sur un toit, et tu vises un type qui se doute de rien.» Il est déjà convaincu que ça sera du gâteau, que je dois seulement prendre davantage d'assurance et foncer, comme pour inviter une femme à sortir. «Ça se passera à six heures du matin. Il sera dans l'eau, et il n'y aura personne d'autre. Chaque fois qu'il est à Miami, il va nager à six heures. Tu peux le rater une ou deux fois. Plus il sera loin quand tu l'auras, mieux ça sera pour toi. Un courant emportera peut-être son corps et on ne le retrouvera pas avant des jours, on croira qu'il s'est noyé.

— Et on remarquera qu'il lui manque la moitié du crâne…

– On pensera peut-être qu'un requin l'a emportée»,
dit Gardocki en riant.

Il rit parce qu'il considère que je suis invincible, que
du moment que je décide de le faire, ce sera un grand
succès. Je lui ai donné satisfaction jusqu'ici, j'ai tué sa
femme, je l'ai protégé de Karl, tout ça sans que nous
ayons d'ennuis. En tout cas pas d'ennuis qui mènent à
l'inculpation. Il croit que j'ai un don magique, alors
qu'en réalité ç'a surtout été de la chance. Jusqu'à ce jour,
mes crimes n'ont pas eu de témoins. Mais à présent
Gardocki pense que j'ai des capacités de tueur fou, que
n'importe quelle méthode de meurtre qu'il me propose
sera pour moi un jeu d'enfant. Comme s'il pouvait me
tendre en connaissance de cause un garrot, un couteau,
une mine antipersonnel, pour que je me mette au travail
avec des aptitudes que j'ai cachées pendant toutes les
années où je me déguisais en chef de service du chargement. En fait, dès que je sors de la vieille méthode du pistolet à deux mètres que j'ai mise au point, je n'ai aucune
idée de ce que je fais.

«Essaie», dit-il. Il a un air satisfait, et je comprends
qu'il veut vraiment que cet homme meure de cette façon-
là. Mourir sous les balles d'un homme de main en allant
se baigner est le genre de mort que commande un
homme de pouvoir. C'est un assassinat politique, une opération secrète. Pour moi c'est de la connerie. La mort
c'est la mort.

«Elle allait me tuer, Jake, dit Gardocki les yeux fixés sur
le lac gelé. Corinne et ce pilote, ils avaient un plan. Elle
allait me tuer et partir en Floride. Ils avaient même choisi
une maison à Miami.

– Allons, Ken, comment tu sais ça?

– J'ai lu ses e-mails. Je faisais semblant de ne pas savoir me servir d'un ordinateur, et de ne pas vouloir apprendre. Jamais je ne l'allumais. Elle se sentait en sécurité en envoyant des e-mails à ce type. Je suis bookmaker, bordel, je me sers tout le temps d'un ordinateur. Je peux pratiquement en programmer un. Alors un jour j'ai trouvé son mot de passe et j'ai lu certains de ses messages. Ils étaient codés, bien entendu, mais c'était facile de voir qu'ils parlaient de me tuer. Quelquefois ils n'étaient même pas codés. Ils voulaient faire croire qu'un cambrioleur m'avait tué un soir chez moi après mon retour de Denver.

– Nom de Dieu. » J'essaie d'imaginer ce que ça fait de découvrir qu'après dix ans de mariage votre femme projette de vous tuer, d'imaginer le choc qu'a reçu Gardocki en ouvrant les e-mails, son expression quand il a lu chaque mot et compris leur signification. « Ça doit être horrible.

– Bof, j'ai épousé une strip-teaseuse de vingt ans plus jeune que moi. Il faut être prudent. Mais tu sais quoi ?

– Quoi ?

– Comme strip-teaseuse, elle était nulle. » Ce souvenir le fait rire. « Mon vieux, cette fille était incapable de danser. C'est pour ça qu'elle me plaisait, parce qu'elle n'avait pas l'air à sa place. » Ses yeux s'embuent légèrement, il finit sa bière, lance la canette vide sur la glace, et nous la regardons glisser jusqu'à ce qu'elle s'arrête. « Tu m'as rendu un fier service, Jake. Tu as fait du bon boulot. C'est vraiment bien ce que tu as fait pour moi. » Il se tape sur la cuisse d'un air gêné, il ne veut pas se laisser gagner par l'émotion que je sens venir et qui est provoquée par la bière. On devrait faire des spots publicitaires avec des conversations comme celle-là. Montrer un logo disant

«Aux Bons Amis», puis Gardocki qui me remercie sincèrement d'avoir tué sa femme avec ponctualité et professionnalisme, avant de boire une autre gorgée et de tendre la bière devant la caméra.

«Mais ce à quoi je tiens, dit-il en s'apercevant tout à coup qu'il est ému, c'est que la cervelle de ce salaud explose pendant qu'il nage dans la mer. Ça te paraît bien?

– Je verrai ce que je peux faire.»

Cela dit, je profite de la situation.

Pendant que Gardocki s'imbibe un peu plus et que je commence moi-même à me sentir bien, j'aborde le sujet du prêt nécessaire pour que Tommy et moi achetions le Gas'n'Go. Je le glisse juste au bon moment, entre la gratitude et la préparation du prochain coup, pendant que les compliments sincères ne sont pas encore oubliés.

Il demande en riant: «Pourquoi vous voulez acheter cet endroit minable?

– Pas si minable que ça. Il rapporte environ cent quatre-vingt mille par an. Après déduction du stock et des salaires, ça nous laisse environ trente mille à chacun, Tommy et moi.

– Trente mille par an, c'est pas grand-chose. Comment vous allez me rembourser quarante mille sur soixante mille? Ça veut dire que vous gagnerez seulement dix mille chacun la première année.»

Gardocki est un homme d'affaires, il l'a toujours été et le restera. «Nous te devrons seulement trente mille, parce que tu m'en donnes dix pour buter ce type à Miami. Il faudrait tout te rembourser la première année?» Moi aussi je peux être un homme d'affaires quand il le faut. Le prix du contrat de Miami n'a jamais été fixé.

«Je fais toujours comme ça, dit-il. J'aime pas prêter de l'argent. C'est une grosse somme.»

Merde, où est passée la phase Jake-je-t'aime où nous venions d'entrer? Je suppose qu'il n'est ni aussi soûl ni aussi sincère que je le pensais. Il y a quelque chose de honteux à demander de l'argent, et je n'ose même plus regarder Gardocki. Le nez sur mes chaussures, je l'entends ouvrir un sac de graines de tournesol, les lancer dans sa bouche et cracher les écorces sur la glace.

«J'ai quand même une idée, dit-il. Pourquoi vous demandez pas un prêt à la banque pour démarrer votre affaire? Je me porterai caution.»

Je me sens tout de suite mieux. «Tu ferais ça?» Il y a des mois que je n'ai pas entendu autant d'espoir dans ma voix. Il se répand dans tout mon corps, m'apporte une énergie que je croyais disparue, me donne envie de sauter et de danser. Je me redresse sur mon pliant et je demande: «Tu ferais vraiment ça?

– Naturellement. Mais vous devrez payer les échéances sans le moindre retard, ou je serai dans la merde.

– Nous les paierons.» Je me mets à expliquer que je ne manquerai jamais une échéance, qu'à l'usine on m'appelait Jake La Confiance ou une connerie de ce genre, que je suis habitué à vivre de presque rien, grâce aux licenciements. Je suis un cafard économique, je peux survivre à tout. Gardocki ne m'écoute pas. Il glousse: «Un Gas'n'Go. Qu'est-ce qui vous prend à vous deux?»

Le bar de Tulley est en effervescence. Il y a au moins vingt personnes, vingt et une en comptant Tony Wolek, qui court dans tous les sens, l'air morne, et décapsule les bières à mesure qu'il les sort de la glace. Il me voit entrer, pose brutalement une bière devant moi sans me regarder, et retourne dans la salle. Autrefois, c'était tous les soirs comme ça, mais Tony n'en a plus l'habitude.

Je profite d'un moment de calme pour lui dire : «C'est rudement animé ce soir.

– Finale du tournoi de fléchettes.»

Je vais droit au but. «Tu connais une fille qui s'appelle Sheila et qui participe au tournoi? Elle est flic, elle travaille dans le centre.

– Elle est pas flic. Elle travaille dans la police mais elle porte pas d'arme.» Tony détient toutes les informations sur tout le monde, comme le cireur de chaussures dans les vieux romans policiers. Il sait aussi pourquoi je l'interroge. Il ajoute : «Elle habite avec son mec.

– Ça marche bien entre eux?»

Tony sourit, une expression que je ne lui ai pas vue depuis longtemps. «Qu'est-ce que tu as en tête, Jake?» De nouveaux clients s'approchent du bar et Tony s'échappe, il prépare des boissons. Puis il revient me dire : «Je crois pas.»

Une conversation avec Tony se passe toujours comme ça quand il y a du monde dans son bar, un délai de trois minutes entre les questions et les réponses, et j'ai oublié quelle était ma question. Je regardais les moments forts du match des Red Wings. Je me rappelle ensuite que je lui parlais de Sheila, et que je lui avais demandé si ça allait bien entre elle et son type.

Tony me prévient : «C'est un costaud.»

Et je suis un tueur fou. Du moins d'après Ken Gardocki.

Tony se penche sur le comptoir et me regarde droit dans les yeux. «Il est camionneur. Il est toujours absent.

Elle en a marre, elle pense à déménager. Elle pense aussi qu'il la trompe quand il est sur la route. Il y a quelque temps, il lui a filé un genre d'infection.

– Bon Dieu, tu as installé un système de surveillance dans leur chambre?»

Tony sourit de nouveau et hausse les épaules. «Elle était ici avec ses copines il y a une quinzaine. C'était l'anniversaire d'une d'elles. Elles sont restées toute la nuit. On entend des trucs.»

Je me demande ce qu'il a entendu de moi. J'ai dit quelque chose au bar que je ne voudrais pas que les gens sachent? Jusqu'à récemment, je n'avais pas de secrets.

Comme s'il avait gardé le détail le plus important pour la fin, Tony conclut: «Et il est rat avec les pourboires.»

J'ai la cote. Tony, au moins, est de mon côté.

Je regarde les temps forts du match des Red Wings tellement de fois que j'ai l'impression d'y avoir assisté. L'équipe de fléchettes de Sheila est en train de se faire battre, mais Sheila est introuvable. Le jeu se passe sans elle. Je me demande ce qui peut lui faire manquer un événement aussi important, aussi capital. Une dispute avec son bonhomme? Une panne de voiture? Une affaire de police urgente? Je descends une autre bière et envisage d'en rester là. Encore quelques unes et je ne pourrai plus prononcer Miami, encore moins demander à une fille de m'y accompagner.

Je réfléchis à des solutions de rechange. Tommy pourrait me prêter Mel pour le week-end. Je ne sais pas s'il en serait ravi, mais après tout, il veut le magasin tout autant que moi. Je devrais promettre de ne pas la toucher, bien sûr, mais la véritable promesse devrait venir de Mel. Des bruits courent sur elle depuis des années. Aucune preuve, rien que des rumeurs, mais je suis sûr qu'il y a du vrai. Parfois, quand je suis chez Tommy, elle me lance des regards appuyés, elle se penche un peu trop dans son chemisier ample pour me tendre une bière. Je n'ai jamais rien voulu faire parce que Tommy est mon meilleur ami, mais avec des types comme Zorda, on ne sait jamais. Je m'amuse à imaginer à quoi elle ressemble toute nue, quels bruits elle ferait si je la baisais jusqu'à lui faire perdre connaissance dans une chambre d'hôtel à Miami, avec les fenêtres ouvertes à une douce brise caressant les rideaux. Des cris? Non... Je pense qu'elle a vécu trop longtemps avec un petit enfant à la maison pour être encore une hurleuse. Plutôt des halètements étouffés, de profonds gémissements rauques qui...

«Salut.» Je sens une main dans mon dos et je recule brusquement. Je tiens toujours ma bière mais je me débrouille pour en renverser la moitié sur ma chemise. Malgré ça, je reconnais le parfum et la voix de gorge de Sheila, et avant que le reste de la bière m'éclabousse je me suis déjà posé une douzaine de questions. Que veut dire la main légère dans mon dos? Pourquoi vient-elle d'abord vers moi avant d'aller parler à son équipe de fléchettes?

Elle éclate de rire. «Pardon. Je voulais pas te faire sursauter.» Elle s'assoit à côté de moi, attrape une serviette en papier, et avant que je puisse la lui prendre elle commence à essuyer ma chemise. Je contracte les pectoraux pour être sûr que ma poitrine est ferme, et je sais immédiatement qu'elle a remarqué cet effort inutile. Je me penche un peu pour avoir une bouffée de ce qu'elle porte, un parfum raffiné. Je sens le froid du dehors sur sa peau et son blouson, et c'est grisant, sexy. Elle ne s'écarte pas.

151

Elle répète «pardon» de sa voix rauque, avec un dernier coup de serviette sur ma poitrine. Tony arrive et pose deux bières devant nous, ma Budweiser habituelle et une marque locale de Milwaukee pour elle.

«C'est lui qui offre», dit Tony en pointant le doigt sur moi. Brave Tony, il essaie de m'aider sur ce coup.

Elle dit: «Non, Tony. C'est moi. Je viens de la lui faire renverser.»

Je la remercie. Elle rit de nouveau. D'une voix encore amusée elle me demande: «Qu'est-ce que tu as fait?

– Ce que j'ai fait?

– Ouais. Pourquoi les flics voulaient te parler?

– Oh, ça.» Je me rappelle à présent que la dernière fois que je l'ai vue c'était quand l'inspecteur Martz m'emmenait pour m'interroger. Je suis momentanément à court d'explications. J'ai préparé ce que j'aurais à dire à la police, mais ces réponses ne marcheront pas dans un contexte personnel. Aux flics, je dirais: «Rien... Je n'ai absolument rien fait.» Mais pour répondre à une fille qui m'intéresse, je dois trouver autre chose. Traiter une question innocente comme un interrogatoire de police ne me mènera probablement pas très loin avec cette femme, et j'ai envie que la conversation se déroule en douceur. Reconnaître avoir buté plusieurs personnes tuerait la conversation dans l'œuf, lui dire de se mêler de ce qui la regarde aussi. Il me faut un juste milieu.

Je réponds vite: «Pour des contraventions. Ç'a été dur.»

Elle sourit d'un air entendu en regardant sa bière. «Alors c'était dans le bâtiment administratif de l'autre côté de la rue», dit-elle.

C'est la deuxième fois que je suis piégé dans le même mensonge. Je ris. Elle sait que j'ai fait quelque chose et ça

152

l'amuse de me regarder me démener pour m'en sortir. Mon cerveau me dit soudain que c'est la faute de Ken Gardocki.

Je demande : «Tu connais un type qui s'appelle Ken Gardocki?

– Ouais. Je suis sortie avec lui.»

Ça alors, pour une nouvelle c'est une nouvelle. Je ne croyais pas la ville si petite. Cette information me stupéfie, mais m'offre une occasion de changer de sujet. «Tu es sortie avec Ken Gardocki?

– Ouais.» Elle hausse les épaules. «Ça fait une dizaine d'années, pendant un mois à peu près. Juste après la mort de sa femme. J'avais de la peine pour lui.» Elle se rend compte que la nouvelle m'a troublé plus qu'elle ne le voulait, et elle l'atténue d'un geste de la main. «Rien d'important. Alors… tu vendais de la drogue pour Gardocki?

– Oh, sûrement pas.» Mais je sens vaguement, même si je refuse de l'admettre, que la réponse contraire aurait été un bon moyen de l'impressionner. Elle aime les mauvais garçons, c'est clair. Pour me dédouaner, j'ajoute : «J'essaie de ne pas me mêler de drogue ces temps-ci. Je m'occupe surtout des paris.»

Elle voit de quoi je parle. Et elle connaît les combines de Gardocki. «Alors qu'est-ce que tu fais? Tu casses des jambes?» Elle avale une gorgée de bière et me regarde en face, ce regard dur et direct qui m'a tellement excité la dernière fois que je l'ai vue ici.

Je vais continuer dans cette ligne, tout en essayant de dire le moins de mensonges possible. Pour une fille qui aime les mauvais garçons, quoi de plus intrigant que de rencontrer l'exécutant d'un truand local? «Casser des jambes, très peu pour moi. En général, je me contente de discuter. Je suis son porte-parole dans la rue.» Là, je me suis fait passer pour le truand intellectuel et délicat dont toutes les femmes rêvent.

«Alors tu tabasses pas vraiment les gens?»

Comme je ne veux pas la décevoir de nouveau, je change de sujet en disant: «Parlons de toi», et on dirait que ça lui plaît encore plus. Si j'essaie d'éviter une conversation, c'est que je dois avoir une raison. J'ai créé un mystère autour de moi tout en n'admettant rien. Je tabasse peut-être, peut-être pas. Bien joué, Jake.

«De moi?» Elle se redresse et se débarrasse de son blouson noir, ce qui me fait remarquer de beaux seins fermes. J'essaie de les regarder discrètement, et je suis probablement moins discret que je ne pense. Elle sait ce qui retient mon attention, et j'ai comme l'impression qu'elle fait durer la chose pour que j'en profite. Elle pose le blouson sur le dossier de son siège et secoue ses cheveux en me regardant.

Je lui demande: «Tu dois travailler demain?

– Non. Je suis en congé jusqu'à mardi. Mais je dois emmener mon chat chez le véto.» Elle continue de me regarder intensément, comme si elle essayait de lire toutes sortes de renseignements. Je suis violent? Imprévisible? Bon? Qu'est-ce que j'attends d'elle? Amour, sexe, passion, quelqu'un à dominer et à maltraiter?

«Tu veux aller à Miami ce week-end?»

Elle rit. Je n'arrive pas à croire que je viens de lâcher ça. J'ai envie de le retirer, de m'excuser d'avoir été trop direct, mais avant que je dise un mot de plus elle répond: «J'adorerais aller à Miami ce week-end. Ça serait chouette, non?»

Elle croit visiblement que c'était une question en l'air.

154

Je répète : «Ça serait chouette.» Et pour l'amener à l'idée que ce n'est pas une plaisanterie, j'ajoute : «En fait, j'ai un billet de trop.

– Tu es sérieux?» Elle paraît plus curieuse qu'inquiète. À ma grande surprise, elle a l'air d'y réfléchir, ou peut-être ne cherche-t-elle qu'une échappatoire. «Je te connais même pas.

– Ce serait une excellente occasion de faire connaissance.» Ooh, ça marche. J'aime ça. Mais on dirait que la conversation ne l'intéresse plus. Ça marchait trop bien. Elle se tourne vers le jeu de fléchettes.

«Je suis censée jouer. J'ai manqué presque tout le jeu. Ils seront furieux.

– Pourquoi tu étais en retard?»

Elle se retourne vers moi et me raconte rapidement une histoire à propos de son chat malade, qui apparemment a vomi dans tout son appartement. Mais elle est agitée à présent, le flirt est fini. «Alors je dois emmener mon chat chez le véto. Je regrette, je pourrai pas te servir de couverture pendant que tu régleras une affaire de drogue pour Ken Gardocki.»

Elle saute de son tabouret.

J'essaie de la retenir. «Ça n'a rien à voir avec la drogue. Je te l'ai dit… Je m'en mêle pas. C'est juste des vacances.»

Mais elle rejoint ses partenaires de fléchettes. Elle ne se retourne pas.

«Ça s'est bien passé, dit Tony. Une autre bière?

– Naan.» Je paie et me lève pour partir.

Tony me crie : «Hé, laisse pas tomber. On sait jamais.

– Merde.»

En rentrant chez moi je réfléchis.

Mel reste une solution, mais je ne veux pas y penser. Je suis sans femme depuis trop longtemps pour me croire sérieusement capable de la repousser si elle me fait des avances, et je ne veux pas que mon association avec Tommy soit empoisonnée dès le début par l'idée que j'ai baisé sa femme. Avec Sheila c'est foutu. Peut-être Denise, du service du recouvrement de créances? Elle m'envoie du courrier. Elle est à Buffalo, dans l'État de New York. Qui plus que ces gens-là a besoin d'un week-end à Miami en cette saison? Je pourrais peut-être promettre de payer entièrement mes dettes, plus les pénalités de retard et les intérêts si elle venait à Miami avec moi et me laissait la tringler comme un matelot turc en virée de trois jours dans un port d'Asie.

Peut-être pas.

Et puis il y a Kelly. Si je l'appelais en lui disant de préparer sa valise pour le week-end, elle prendrait ça pour une tentative désespérée de réconciliation, pas pour une tentative désespérée de trouver une complice qui me rende moins suspect au cours de mon prochain interrogatoire pour homicide. En plus, j'ai passé huit ans avec elle, huit années basées sur la confiance. Je ne pourrais pas la mettre dans cette situation, malgré ma colère quand elle m'a abandonné. Un jour peut-être j'ouvrirai la lettre qu'elle m'a envoyée.

Quand Gardocki a dit que je trouverais facilement une femme, je pense qu'il se faisait des idées sur mon existence. Il imaginait peut-être qu'un employé d'usine licencié passe son temps à faire la fête et rencontrer du monde, qu'il profite de son interminable temps libre pour entretenir sa vie sociale. Il voit peut-être la retraite comme ça. Mais il y a des conséquences psychologiques dont il n'a pas tenu compte. Si votre employeur vous dit qu'il ne veut pas de vous, vous en déduisez que personne ne vous veut. Malgré mon interminable temps libre, je fuis les gens, je ne veux même pas échanger un regard avec la bibliothécaire quand j'emprunte des livres. J'ai refusé si souvent les invitations qu'on ne m'invite plus. Et je sais que je ne suis pas le seul.

Être tueur à gages était tellement plus facile quand je pouvais travailler seul.

8

Je ramasse mes CD que les flics ont jetés par terre malgré leur promesse de «fouiller gentiment» si je ne faisais pas de scène, quand le téléphone sonne. C'est Gardocki, qui appelle d'un téléphone public. J'ai demandé à Tommy de l'appeler pour qu'il me joigne, quoiqu'à la réflexion j'aurais dû téléphoner moi-même. J'ai le droit de parler à Gardocki.

«On se retrouve au même endroit», dit-il, et il raccroche.

Le Même Endroit? C'est un nouveau restaurant? Son code est malin. Assez malin pour dérouter ceux qui sont censés le comprendre. Mais j'imagine qu'il veut parler du bar où Karl m'emmenait, je saute donc dans ma voiture et roule pendant trois quarts d'heure dans les bois pour découvrir que c'est fermé et que le parking est vide. Alors où est Le Même Endroit? Le restaurant italien où il m'a invité il y a une éternité, le jour où il m'a parlé du plan pour tuer Corinne? Bon sang, c'est à une heure d'ici dans

157

la direction opposée. Je vais bientôt manquer d'essence, aussi, dès que je me retrouve en ville, je passe par la station d'essence pour faire le plein.

Tommy est là. Quand il me voit entrer pour payer il me demande : « Où tu étais passé ?

– Pourquoi ?

– Ken Gardocki t'a attendu ici pendant une heure. Il est retourné à son bureau. » « L'Endroit » était donc le magasin. À quoi ça rime ? Cette histoire de code est devenue complètement idiote. Je travaille là. Les flics savent où je travaille. Si Gardocki veut un rendez-vous secret avec moi, où est le secret si nous nous retrouvons en plein jour sur mon lieu de travail ? Et si ça n'a pas besoin d'être secret, pourquoi ne pas dire simplement : « On se retrouve au magasin ? » Les flics savent que nous nous voyons, Ken Gardocki et moi. Autant effacer vos empreintes sur un objet qui vous appartient.

Je demande : « Qu'est-ce qui lui arrive ?

– Il a demandé la même chose sur toi.

– Il trouve que nous sommes fous de vouloir acheter ce magasin. »

Tommy a l'air inquiet. « Tu crois vraiment qu'il nous prêtera l'argent ?

– Oh oui. »

L'enthousiasme éclaire le visage de Tommy et son sourire est radieux. C'est une expression que je ne vois pas souvent par ici. Et tout ça pour un petit magasin minable. Mais nous avons trouvé une solution. Nous allons survivre.

« Il a parlé de Mel, il voudrait qu'elle aille avec toi à Miami, dit Tommy en ouvrant la caisse et en comptant la monnaie. Je lui ai dit qu'elle aimerait beaucoup y aller, mais ça m'obligerait à fermer le magasin pour m'occuper de Jenny, alors je vois pas comment c'est possible. »

Ça devient trop tordu. Tommy est prêt à me laisser emmener sa femme en vacances dans un endroit romantique pour que je puisse tuer quelqu'un. Mais ce n'est pas son souci pour la fidélité de sa femme qui le retient, ni la moralité. C'est l'impossibilité de trouver une baby-sitter.

« Dis à Gardocki de s'occuper de ses affaires. Je crois que je vais y aller tout seul. C'est ce que je voulais lui dire.

– Dis-le-lui toi-même. Il est à son bureau. »

J'arrive dans le bureau de Gardocki qui est affolé de me voir. Il met son index sur sa bouche comme pour me faire taire, puis il griffonne fiévreusement sur un papier et me le tend. PEUT Y AVOIR DES MICROS.

J'écris à mon tour et lui rends le papier. PAS DE FEMME POUR MIAMI.

Il roule les yeux et hausse les épaules comme pour dire : « Qu'est-ce qui t'arrive ? »

Il griffonne : DEMANDÉ À TOMMY POUR SA FEMME. ELLE IRA.

JE REFUSE

MERDE, JAKE. C'EST LES AFFAIRES. TU DOIS.

PRÉFÈRE ALLER SEUL.

NON, NON, NON. Accompagné de beaucoup de mouvements de tête.

MOIS PROCHAIN PEUT-ÊTRE. BESOIN DE TEMPS.

DÉJÀ ACHETÉ BILLETS. NON REMBOURSABLES. FEMME DE TOMMY. Souligné deux ou trois fois. Il ne connaît même pas le nom de Mel, mais il sourit en ajoutant ELLE EST PAS VILAINE.

Je lui arrache le papier, le roule en boule et le jette sur

159

son bureau en secouant furieusement la tête. «NON»! je hurle, et je sors en claquant la porte. Je m'attends à ce qu'il me suive en gueulant, mais je monte en voiture et remarque que la porte de son bureau est toujours fermée. Il comprend. Il sait que j'ai raison. Il peut déduire le prix des foutus billets de ma rétribution si ça lui chante, mais je ne vais pas me mettre dans une situation où je risquerais de baiser la femme de mon meilleur ami.

En rentrant chez moi je trouve une voiture inconnue devant la maison. Merde! Les flics sont revenus pour balancer de nouveau mes CD partout. J'examine la voiture, trop vieille pour une voiture de flics, et je vois Sheila debout devant ma porte. Elle est en train d'écrire un mot.

Elle fait: «Hé», froisse le mot et le met dans sa poche.

«Hé, comment tu vas?»

Elle ne répond pas.

«Quoi ne neuf?

– J'ai réfléchi.» De nouveau cette voix. Je pourrais l'épouser rien que pour sa voix. Profonde, sexy et assurée.

«À propos de quoi?

– Tu veux toujours que j'aille à Miami?»

J'essaie d'être Jake le Flegmatique, mais je fais un grand sourire. «Bon sang, oui. Tu veux y aller?»

Elle recule, un peu intimidée par mon enthousiasme. «Écoute, Jake. Tout ce que je veux, c'est des vacances. Je sais que tu travailles pour Gardocki, et ça m'est égal ce que tu fais, mais je mettrai pas de drogue dans ma valise ni rien de tout ça. Je veux seulement partir d'ici pour quelques jours.

– Aucun problème.

– Et nous aurons des chambres séparées à l'hôtel.

– Non. Impossible.» Merde. «Si tu viens, nous devons partager la chambre.» Comment la faire passer pour ma nana si nous faisons chambre à part? «Des lits séparés, oui. Et s'il y a un seul lit, je dormirai par terre, ça m'est égal.» En réalité, ça ne m'est pas égal, mais les affaires sont les affaires. Elle sait déjà que je me sers d'elle comme couverture, alors inutile de lui passer de la pommade. Je dois arrêter une seconde de penser à la baise et me concentrer sur le boulot qui m'attend. Je lui dis: «Ça va être formidable. Le vol est à neuf heures et demie demain matin. Je promets d'être un parfait gentleman.»

Elle y réfléchit. «Tu dois dire à personne ici que je vais avec toi. Je vis avec quelqu'un.

– Je sais. C'est pas un problème non plus.

– Tu le savais?»

Je hausse les épaules.

«Qu'est-ce qui se passe? Tu as étudié mon cas?

– Non. J'ai demandé à Tony au bar.»

Elle réfléchit encore avant de dire: «Ça va. Moi aussi je lui ai posé des questions sur toi.

– C'est vrai? Qu'est-ce qu'il a dit?»

C'est à son tour de hausser les épaules. Elle me dévisage. «Tu mettras pas de drogue dans ma valise?»

Je ris. «Je te l'ai dit, je me mêle pas de ça. J'ai rien à voir avec la drogue.»

Elle ne paraît pas convaincue. Elle remonte dans sa voiture avec l'air d'hésiter encore.

Je lui crie: «Hé, comment va le chat?»

Elle agite la main au lieu de répondre et sort de l'allée en faisant crisser ses pneus, elle m'éclabousse les jambes de neige. Je grimpe l'escalier en courant, presque étourdi par l'excitation, et j'appelle Gardocki.

«Le problème est réglé.»

Je sais qu'il meurt de curiosité, mais il ne peut dire que: «Bien.» Il raccroche. Yahaaaaaaa! Je suis un tueur heureux.

Pendant le vol, Sheila est silencieuse, elle fait attention à ne pas trop flirter, inquiète que je me fasse de fausses idées. Elle commande une bière alors qu'il n'est que dix heures du matin. L'avion la rend peut-être nerveuse. Ou bien c'est moi qui la rends nerveuse. Elle boit peut-être toujours à dix heures du matin.

«J'ai pas parlé de ce voyage à mon copain», dit-elle en regardant le dossier du siège devant elle.

Je suis censé répondre quoi? Pourquoi me dit-elle ça? Elle veut parler de son copain? Je lui demande: «Il est comment?

– Ça va.»

Pas précisément l'enthousiasme. Elle continue de regarder fixement le dossier comme si elle s'attendait à y voir apparaître Jésus. J'espère qu'elle se détendra un peu quand nous arriverons. Pour l'instant, je peux sentir l'anxiété qui se dégage d'elle, je peux presque l'entendre se dire que ça n'était pas une si bonne idée.

«Quand nous arriverons à l'hôtel, j'aurai une course à faire. Tu iras te baigner ou faire ce que tu voudras, ensuite nous pourrons sortir pour dîner, si tu veux.

– D'accord.» Elle fixe toujours le dossier.

«Super.

– Ça fait bizarre. (Elle se tourne vers moi.) Tu trouves pas que ça fait bizarre?

– Non. Pourquoi, parce qu'on vient tout juste de se rencontrer?

– Ouais.

162

– Y a rien de bizarre. »

Ça a l'air de la requinquer. « Tu trouves pas ?

– Non.

– Moi si. »

Elle ment à son copain et s'envole à Miami avec un inconnu pour lui servir de couverture pendant qu'il commet un crime quelconque. Qu'est-ce que ça a de bizarre ? Ça arrive tous les jours. Tout ce que je sais, c'est que je m'amuse bien. C'est sacrément plus marrant que de rester dans mon appartement bloqué par la neige à attendre que le facteur m'apporte mes allocations de chômage. Je lui prends la main. « Merci d'être venue, c'est vraiment sympa. »

Ses yeux se détachent du dossier devant elle et elle me regarde (enfin).

Elle retire sa main sans rien dire.

La voiture que Gardocki a louée pour moi est une vieille Nissan Sentra, le sale rat. Les employés de l'agence de location de l'aéroport se contentent de faire un signe d'impuissance quand je leur dis que je suis censé avoir une Chrysler Sebring décapotable. Je sais qu'ils en ont une parce que je l'ai aperçue à travers la grille en arrivant, et je décide d'essayer de prétendre que Gardocki a fait une erreur. Dans l'avion, je nous ai imaginés Sheila et moi en train de foncer en décapotable sur une route de bord de mer, le vent soufflant dans les cheveux de Sheila. Idiot. Une grappe d'employés m'entoure et me demande comment une erreur pareille a pu se produire, et je me rends compte que je viens de commettre le pire péché pour un tueur à gages : je me suis fait remarquer. Un bon tueur, tout comme un bon arbitre de base-ball, doit veiller à se fondre dans le décor.

«Il est écrit minicompacte, dit l'homme derrière le comptoir sur le ton nerveux de celui qui refuse qu'on mette en doute sa crédibilité.

– Vous pouvez changer de catégorie?

– Il nous faudrait l'accord de la personne dont le nom figure sur la carte de crédit. Mr. Ken Gar… Gar…

– Gardocki, je sais.» Je devine que ce type a déjà eu cette conversation. Apparemment, des tas d'hommes d'affaires viennent ici avec des visions de vent soufflant dans leurs cheveux et découvrent que leur patron est un sale rat. «Je peux payer la différence en liquide.

– Nous ne pouvons pas faire ça.» Il est presque affolé, comme si j'avais menacé de voler la Sebring. Sa peur, sa nervosité et son obsession de la paperasse m'agacent.

«Et pourquoi pas, bordel?»

Il se trouble, se précipite dans un bureau et revient avec un type encore plus gratte-papier que lui, qui doit être son directeur. «C'est la voiture que nous avons réservée pour vous, dit-il. C'est tout ce que nous avons actuellement.» Il retourne dans son bureau.

Je trouve que c'est très impoli. Sheila arrive par derrière et pose doucement sa main sur mon épaule. «Qu'est-ce qui se passe?

– Je veux louer une Sebring, et ils me la refusent.

– Nous ne vous la refusons pas, dit le type du comptoir. C'est seulement qu'elle n'est pas disponible.» Il se tourne vers Sheila et dit sur un ton conciliant: «Si vous revenez demain, je peux m'arranger pour que vous l'ayez au même prix.»

Elle lui sourit, le remercie et met son bras autour de moi. «Revenons demain», dit-elle. Je sais parfaitement que la Sebring n'ira nulle part aujourd'hui, que le type du

164

comptoir m'a dans le nez et qu'il m'emmerde parce qu'il le peut. Je me souviens d'avoir fait ce genre de coup à des gens qui étaient grossiers avec moi quand je travaillais au chargement. «Oh, non monsieur, nous ne pouvons pas vous fournir ces fixations pour chenille aujourd'hui… En faisant un effort, je peux vous les avoir pour jeudi.» Je racontais ça les pieds sur une caisse de fixations, pendant qu'un camionneur allait justement partir pour le magasin du type. C'est ce qu'il avait gagné en me criant «merde» il y a quelques minutes. La fois suivante il serait peut-être plus poli. Je devine que le type du comptoir ressent la même chose. Il n'aime pas mon attitude. J'avais oublié cette leçon importante. Mais un sourire coquet de Sheila l'a neutralisé, et son bras autour de moi m'a neutralisé moi. Elle est douée.

Le petit con me tend les papiers à signer sans un regard pour moi. Sheila lui sourit de nouveau et le remercie.

Il lui dit: «Bonne journée», comme si je n'étais pas là.

Le pot d'échappement est sur le point de se détacher, et quand j'arrive sur le parking de l'hôtel il fait davantage de bruit qu'une moto. L'hôtel donne sur la plage, mais c'est LA PORTE À CÔTÉ de celui où loge le pilote. Gardocki me dira qu'en cas d'enquête il vaut mieux que nos noms ne figurent pas sur le même registre d'hôtel, mais en voyant les deux endroits, je comprends que des considérations d'économie ont pu entrer en ligne de compte.

L'hôtel du pilote, l'Ambassador, s'élance sur dix étages et semble de construction récente. Le mien est un trou pourri de deux étages. Il a l'air d'avoir été ramassé tel quel sur un terrain en face d'un relais de routiers dans l'Oklahoma et déposé là, sur le front de mer à Miami. À en juger d'après l'énorme enseigne au néon, il s'appelle *Chambres Libres*, ce qui se comprend sans effort.

Sheila n'est pas déçue, et elle me plaît d'autant plus. Elle est simplement contente d'être loin du Wisconsin, loin de la neige, contente d'être au soleil près d'une plage. La vieille voiture, l'hôtel merdique, ça lui va. « De toute façon, je prévoyais pas de rester très longtemps ici. Et nous sommes à cinquante mètres de la mer. »

Plutôt cinq cents, mais je comprends ce qu'elle veut dire. Je pense que dans mon monde imaginaire j'avais oublié que j'étais ici pour affaires, pour faire un boulot. Je m'étais imaginé en millionnaire de la jet-set qui s'est éclipsé dans un endroit de rêve avec sa maîtresse. Voyons la réalité : Sheila n'est pas ma maîtresse, et elle n'a accepté de m'accompagner qu'à condition de ne pas le devenir, je dois tuer un type qui habite l'hôtel d'à côté et ensuite me tirer vite fait. Je suppose que de longs mois de solitude et de manque d'argent m'ont marqué.

Mais nous sommes ici. Il est temps de redevenir professionnel. Nous nous présentons à la réception, et j'examine la chambre. Deux lits jumeaux. C'est bien. Je n'aurai pas à dormir par terre. Nous déposons nos bagages dans la pièce qui sent fortement le moisi, et je dis à Sheila qu'elle est libre d'aller prendre le soleil pendant quelques heures, ce qui est précisément son intention. J'ai quelques courses à faire. Elle acquiesce et disparaît dans la salle de bains pour se changer.

Je pars chercher mon fusil de sniper.

Gardocki m'a donné une adresse, et je demande à l'employé de l'hôtel de me l'indiquer. Il se trouve qu'elle est à

166

moins d'un kilomètre de l'hôtel. «Vous pouvez y aller à pied», dit-il gaiement, et je décide que ça n'est pas une mauvaise idée. Le fusil sera sans doute emballé discrètement. Ce sera peut-être même un de ceux qui se démontent pour pouvoir être transportés dans une mallette spéciale. Je devrais pouvoir le rapporter sans difficultés. Je me mets en route avec mes indications pour découvrir Miami.

Je comprends tout de suite que je me suis trompé. Mon hôtel miteux aurait dû me mettre en garde. Je ne l'avais pas remarqué plus tôt, mais il est la règle et non l'exception, et la luxueuse tour toute neuve du pilote est probablement une tentative des promoteurs locaux pour donner un coup de jeune au paysage saccagé où j'ai loué une chambre. Je suis dans un quartier qui ressemble au mien, dévasté et laissé à l'abandon, décoré de portes disloquées, de fenêtres barricadées et d'ordures. Le soleil éblouissant et la race des habitants sont les seules véritables différences. De jeunes Noirs en maillots de la National Football League, qu'ils ont choisis davantage pour leurs couleurs que par loyauté à une équipe, sont allongés devant des maisons déglinguées. Le premier groupe que je vois porte des maillots d'Indianapolis, du Tennessee et de Kansas City. Aucun ne porte un maillot des Dolphins de Miami. Ils me regardent d'un air soupçonneux et j'essaie de mettre le plus de distance possible entre eux et moi sans pour autant traverser la rue, signe évident de peur.

Quand au bout du premier pâté de maisons je vais pour tourner à droite, comme indiqué, une radio hurle et je vois que je vais traverser un champ de mines de jeunes Noirs, dont beaucoup traînent sur le trottoir. Je doute que de nombreux Blancs viennent par ici. Je décide de continuer. Je suis un tueur à gages. Ces gamins ont peut-être l'air de durs, mais combien ont vraiment tué? Je les dévisage tout en avançant au centre de la chaussée et ils observent cette curiosité blanche au beau milieu de leur quartier. Si des Noirs circulaient dans nos rues du Wisconsin, on les remarquait tout de suite, on les observait. Je sais à présent ce qu'ils ressentaient. Ils cherchaient peut-être une adresse, eux aussi.

«Hé, toi, crie une fille de sa porte. Qu'est-ce tu fous ici?» Je me tourne vers elle pour ne pas paraître impoli ou sourd, mais sans ralentir. Un objet lourd jaillit d'un des porches et va cogner une voiture abandonnée à dix pas derrière moi. Je le regarde rebondir près de mes pieds. La moitié d'une balle de base-ball. Un ricanement salue mon mouvement de surprise évidente, rendu plus embarrassant par ma tentative encore plus visible de la dominer.

Je me rappelle que nous sommes vendredi après-midi, un jour de travail. C'est mon quartier dans dix ans. Pour ces gens-là, ne pas travailler est devenu un mode de vie. Certains pourraient peut-être faire un travail de nuit, de gardiennage ou de service d'étage dans les hôtels chic qui s'ouvrent sur la plage, mais c'est fini pour eux. Ils ne posséderont ni ne construiront jamais rien et ne quitteront pas la rue. Personne ne se donne plus la peine de leur mentir en leur disant qu'il y a un pays qui se soucie d'eux, ces mensonges auxquels j'ai tellement cru jusqu'à la fermeture de l'usine. Ces gens-là n'ont jamais eu d'usine où travailler, ils ne se sont jamais sentis en sécurité, pas un instant. Leur désenchantement est encore plus pur que le mien.

J'aperçois du coin de l'œil la seconde moitié de la balle de base-ball qui vient siffler à quelques centimètres de ma tête. Cette fois je ne sursaute pas. Nouveau ricanement. Puis un jeune garçon crie: «Bang». Derrière ce geste, la réalité est qu'ils m'imaginent en cible d'entraînement. Pour eux, je suis Brecht, un symbole de tout ce qui va mal. Mais leur colère n'est pas aussi fraîche que la mienne, et ils me laissent passer. Quand je tourne à gauche au bout du pâté de maisons, je sens que je ne les intéresse déjà plus, je ne suis qu'un Blanc égaré qui cherche son chemin.

Les trois pâtés de maisons suivants sont déserts, à l'exception d'une vieille dame noire sur le pas de sa porte dans un fauteuil à bascule, qui lorsque je lui demande où se trouve Rich Street la bien nommée, tend le doigt sans un mot. Je trouve Rich Street, une longue allée vide. J'entends quelques voix, je les suis, et au bout je trouve deux adolescents blancs en T-shirts immenses, casquette de base-ball, visière sur la nuque, en train d'astiquer des planches de surf dans un garage.

« Hé, je cherche le 1502. C'est par ici ? »

Ils se consultent du regard. « Vous cherchez qui ? » demande l'un en retournant à sa planche.

Je regarde le bout de papier de Gardocki. « Gerald.

– Jerry est à l'intérieur. »

Je jette un œil au garage bordélique, cannes à pêche cassées, planches de surf posées contre des fours et des réfrigérateurs abandonnés. Je ne vois pas de porte.

« Par où on entre ? »

Sans lever la tête, le gamin arrête d'astiquer une seconde pour marmonner : « Il faut pousser le four de côté. » Je fais glisser le four et découvre non pas une porte, mais un trou dans le mur qui donne l'impression d'avoir été ouvert à coups de pied par un toxico en délire, et les propriétaires en ont tiré parti en l'utilisant comme entrée. Je m'accroupis et parviens à me faufiler à l'intérieur en me couvrant de plâtre.

Je me trouve dans la cuisine. Deux gamins assis à une table mangent des céréales. Entre les paquets de céréales encore ouverts je vois une pipe à eau au milieu de la table, et l'odeur forte et musquée de l'herbe flotte dans l'air. De la vaisselle s'empile dans l'évier et du papier absorbant, seul ustensile de nettoyage visible, est en partie déroulé sur le comptoir de lino taché et décoloré. Ils s'alarment en voyant que je ne suis pas un des gamins du garage.

« Qu'est-ce qui se passe ? demande l'un prudemment.

– Je cherche Jerry.

– JERRY ! crie le gosse sans bouger de son siège, avec une telle force qu'il recrache des céréales dans son bol.

– QUOI ? » répond une voix qui vient du living.

Je m'avance rapidement dans le living pour éviter de nouveaux hurlements. Jerry est assis sur un vieux canapé gris, qui a d'abord été blanc, les pieds posés sur une caisse de lait en boîte, et il regarde une télé muette. Des magazines pornos à divers stades de décomposition jonchent le sol. L'un d'eux, durci par le temps et les liquides, sert de plateau pour une autre pipe. Jerry se retourne vers moi. Il se raidit en voyant qu'il ne me reconnaît pas.

« Hé, mec, dit-il d'une voix prudente en se redressant. Je vous connais ? » Je détecte un léger accent du Wisconsin.

« Ken Gardocki m'envoie. Du Wisconsin.

– Ken comment ?

– Gardocki. Il m'a donné ton nom. Il m'a dit que je pouvais acheter… » Je suis soudain incapable de décrire un fusil. Un flingue ? Une arme ? Je me dis qu'une certaine discrétion est nécessaire. Le gamin paraît déjà suffisamment agité sans que je parle ouvertement d'armes à feu.

« Gardocki… » Il réfléchit. Lentement. « C'est un ami de mon père ?

« – J'en sais rien. C'est qui ton père ?

– Jerry Grzanka. Il conduisait un camion dans le Wisconsin. »

Miraculeusement, je connais le nom et l'homme. Je me souviens de lui parce qu'il avait une énorme moustache noire en forme de guidon de vélo qui lui donnait l'air d'être toujours furieux. Il racontait tout le temps des blagues dégueulasses et pas drôles qui tournaient en général autour des matières fécales. Il a quitté l'usine il y a une dizaine d'années, je m'en souviens à présent, pour s'installer dans le Sud parce qu'il avait hérité une maison en Floride. Les choses se mettent en place et je regarde autour de moi en espérant pour lui que ce n'est pas la fameuse maison.

« Je connais Jerry. Je travaillais avec lui à l'usine. Un grand type avec une moustache en guidon de vélo. »

Jerry Junior exulte. « HÉ, crie-t-il en direction de la cuisine. CE TYPE CONNAÎT MON PÈRE ! » Pas de réponse. Jerry hausse les épaules. « Alors, vieux, tu en veux combien ?

– Combien de quoi ? »

Perplexe, Jerry redevient soupçonneux. Il ouvre les mains en haussant les épaules, ce qui ne veut rien dire pour moi. Puis je me dis qu'il pense que je suis là pour acheter de la drogue.

« Non. Je suis là pour le fusil. Gardocki m'a donné cette adresse pour que je prenne un fusil. » Je lui tends le bout de papier, qu'il étudie comme un videur qui vérifie des papiers d'identité, alors que ça n'est qu'une serviette de bar avec son adresse dessus. Pendant qu'il l'examine avec soin, je commence à penser que mes chances d'obtenir une mallette métallique argentée avec un fusil à lunette

171

démonté bien rangé dans des petits compartiments deviennent de plus en plus minces de minute en minute.

« Fusil ? demande Jerry.

– Il m'a dit que c'était ici. Tu viens du Wisconsin, pas vrai ?

– J'habitais là-bas quand j'avais onze ans.

– Gardocki m'a dit qu'il t'avait déjà payé pour le fusil. »

Jerry ouvre de grands yeux, très embarrassé. Il crie vers la cuisine : « HÉ LES MECS, VOUS AVEZ EU UN MESSAGE QUI PARLAIT D'UN FUSIL ? »

Silence dans la cuisine. Puis l'un des gamins entre dans le living et dit : « Il y avait un message sur le répondeur. » Il ramasse par terre un paquet de cigarettes, en prend une, l'allume, et renvoie le paquet par terre sur les magazines salis et la moquette déchirée. « Je t'en ai parlé, mec. Tu étais défoncé.

– J'étais pas défoncé. Je me souviendrais de ça.

– Je t'en ai parlé », répète le gamin. Et il sort.

Jerry s'excuse. « Ça regardait peut-être mon père, dit Jerry en se levant du canapé. Nous nous appelons pareil. Mais il est en voyage, et il habite de l'autre côté de la ville. Ça fait rien, suis-moi. Je crois qu'on a un fusil dans la remise. »

Je le suis dans la « remise », qui est une ancienne chambre où chacun apparemment se débarrasse de ses saletés. Il y a des cannes à pêche, des instruments de musique, des poubelles et des pinceaux, mais pas de fusils.

« VOUS AVEZ VU UN FUSIL ICI ? » crie Jerry.

On entend des pas traînants dans la cuisine, puis : « Il est dans la salle de bains. »

Jerry passe devant moi et va dans la salle de bains où un fusil est posé contre la cuvette des toilettes. Jerry le ramasse et l'eau du sol, ou du moins ce que j'espère être de l'eau, dégouline de la crosse.

Il me le tend. «Voilà, mon pote.»

Je prends le fusil avec précaution. Ça n'est pas de l'eau.

Je signale à Jerry avec désinvolture que je suis venu à pied et dois repartir de même, en portant un fusil trempé de pisse, à travers un quartier où la dernière fois on m'a lancé des objets lourds. Jerry essaie de faire valoir que le fusil serait une bonne protection, ce que je récuse. Mais ça me fait penser aux balles, que je n'ai pas. Après une brève recherche, six balles apparaissent là où il fallait les chercher, sous l'évier de la cuisine.

«Je te ramène en voiture», propose finalement Jerry qui a compris que sinon je ne débarrasserais pas le plancher. Au moment de partir, Jerry me demande de le suivre de nouveau dans la salle de bains. Il fouille derrière la cuvette et ressort avec… une baïonnette.

«Ça va avec, dit-il.

– Merci, mec. Je crois pas que j'en aurai besoin.

– Mais ça va ensemble.» Pour une raison que j'ignore, Jerry, qui jusqu'ici n'a rien fait pour entretenir cette arme, paraît mortifié à l'idée qu'une pièce puisse être perdue. Je prends la baïonnette, sur laquelle on a aussi pissé récemment, nous sortons et nous montons dans la voiture de Jerry. Je mets le fusil et la baïonnette à l'arrière, sur une pile d'emballages de fast-food assez grosse pour cacher un cadavre.

Nous arrivons sur le parking de l'hôtel. Le réceptionniste qui m'a indiqué mon chemin il y a un moment est là, face au parking.

«Bon Dieu, regarde. Je peux pas emporter le fusil dans

ma chambre sous son nez. Tu peux attendre une seconde? Je vais chercher une couverture.

– D'accord. Mais je dois aller aux toilettes.

– Bon. Entre.»

Nous entrons dans la chambre et je suis frappé une fois de plus par l'odeur de moisi. Après la lumière éclatante du dehors, cette chambre de motel aux persiennes baissées avec une malheureuse ampoule de soixante watts sous un abat-jour noir de poussière ressemble à une mine de charbon. Alors que j'arrache un couvre-lit, Jerry entre en trombe dans la salle de bains et manque de renverser Sheila qui en sort en bikini.

Elle hurle.

Il hurle.

Je la calme. «Sheila, tout va bien. C'est un ami. Je croyais que tu étais à la plage.»

Sheila me regarde, encore sous le choc, et je ne peux pas m'empêcher de remarquer comme elle est belle, plus belle que je ne pouvais l'imaginer. Jerry la regarde lui aussi, et je commence à me sentir protecteur. Je lui dis: «La salle de bains est libre.» Il entre et ferme la porte.

Sheila me regarde toujours. Je crois qu'elle veut me poser des questions, mais aussi qu'elle ne veut rien savoir. Elle se demande probablement pourquoi je lorgne à travers les persiennes, le couvre-lit dans les bras, après avoir laissé entrer un parfait inconnu dans notre chambre.

Je lui dis: «J'ai besoin d'un service.»

Elle prend son paréo et enfile ses sandales. «Quoi?

– Ce putain de réceptionniste est sur le parking. J'ai besoin que tu détournes son attention.

– De quoi?

– De moi.»

Ça a l'air de l'amuser. «Qu'est-ce que tu veux que je fasse? La danse du ventre?» Elle met son paréo et sort en même temps que Jerry émerge de la salle de bains. Il lève le pouce en signe d'approbation pour «ma nana». Je lui souris en me demandant s'il a pissé partout.

Sheila s'approche du réceptionniste et lui dit quelque chose, ils entrent ensemble dans le bureau. Je cours à la voiture, prends le fusil et la baïonnette et les emporte vite à l'intérieur. Jerry et moi nous faisons nos adieux et Sheila revient avec des brochures sur le quartier Art déco et South Beach. Il y en a une qui décrit une plage «seins nus», et elle me la donne.

Je la parcours. Je me demande ce que ça signifie quand une femme qui vous intéresse vous montre une publicité pour une plage de semi-nudisme.

Je lui demande: «Tu veux y aller?»

Elle rit.

Je dis: «Merci», en pensant au réceptionniste, pas à la brochure. Elle se tait. Mais j'éprouve de la satisfaction. J'ai franchi l'épreuve numéro un. Le fusil est pourri, ma voiture est pourrie, ma chambre d'hôtel est pourrie, mais il y a au moins une possibilité que j'accomplisse ma mission.

Étendu sur le lit, je me rends compte que ce boulot est tout aussi stressant que de travailler au chargement pendant la haute saison. Ce stress-là me manque tout à coup, l'assurance que ce que vous faites est légal. Je voudrais avoir encore ce boulot. Je voudrais avoir encore Kelly. Je voudrais me retrouver dans le Wisconsin, rentrer d'une journée de travail et trouver Kelly à la maison en train de préparer le dîner, à l'heure des infos à la télé, avec la neige qui tombe doucement au dehors. Mais c'est fini. Nous sommes en février, il fait trente à l'extérieur et je suis dans une chambre d'hôtel à Miami avec une étrangère à qui je cache une baïonnette et un fusil sous mon lit.

Inutile de pleurer sur le passé. Il faut savoir s'adapter aux changements.

Plus tard, vers le soir, Sheila revient de la plage. Je suis en train de regarder la télé, persiennes baissées. Elle est déjà joliment colorée. Je lui propose : « Tu veux aller dîner ?

– Avec plaisir. » Elle se glisse dans la salle de bains et prend une douche pour se débarrasser du sable pendant que je regarde une sitcom familiale des années quatre-vingt. Je ne me rappelle jamais le titre de ces séries. Il y a toujours un père, une mère, deux ou trois enfants précoces et une jolie maison avec un mobilier que je n'aurais pas pu me payer même pendant la haute saison. Pas avec mes traites de voiture. Dans ces séries, si des problèmes surgissent, ils sont instantanément résolus par une longue discussion sincère. Les enfants écoutent toujours les adultes, qui méritent toujours d'être écoutés. Personne ne s'inquiète pour l'argent. Personne n'est jamais licencié. Personne ne fume non plus, et il ne neige jamais, sauf pendant les épisodes de Noël. Qui donc vit ce genre de vie ?

Sheila ressort, enveloppée dans une serviette et les cheveux enturbannés. Elle s'installe pour faire des trucs de fille devant la glace, où elle a rangé huit ou neuf flacons de divers produits de beauté. « Tu veux aller où ? demande-t-elle.

– Qu'est-ce que tu dirais du bord de l'eau ? Tu aimes les fruits de mer ?

– Bien sûr. »

Je continue à regarder la série. Un jeune et beau papa qui a l'air de ne jamais travailler, mais qui vit quand même avec ses filles dans une grande maison avec du parquet et des meubles anciens, fait un sermon sur les méfaits de la drogue à sa fille attentive. La fille n'a jamais pris de drogue, mais depuis quelque temps elle fréquente une amie qui pourrait en prendre. La scène se termine sur la fille qui a tout compris, sauvée pour toujours d'une éventuelle toxicomanie.

Voilà comment ils camouflent la réalité. Ils fabriquent ce genre de séries pour une bonne raison. Ils nous nourrissent du rêve américain, de ce que pourrait être la vie si nous fermions les yeux et faisions semblant. Les gens regardent ces histoires et ont l'impression de ne pas être à la hauteur. Je commence à croire que tout ça est une conspiration géante, que ces séries sont financées par les sociétés qui possèdent les chaînes de télé, qui sont de mèche avec celles qui possèdent les usines de pièces de tracteurs, mais Sheila m'interrompt.

« Tu devrais pas téléphoner pour réserver ? C'est vendredi soir. »

Elle est époustouflante. Elle a mis une robe courte en tissu doré qui souligne chaque courbe, et elle est en train de brosser son épaisse chevelure noire. J'aime regarder toute l'opération de mise en beauté, le brossage des cheveux, le maquillage. Il y a de l'intimité là-dedans. Mon attention ne l'embarrasse pas.

« Tu es très jolie.

– Appelle le restaurant. »

Depuis notre arrivée à Miami, Sheila a été, au mieux, distante, au pire, irritable. Mais après trois verres pendant que nous attendons une table dans le meilleur restaurant de fruits de mer de Miami, elle semble s'éclairer d'une

177

lueur douce. Je remarque qu'elle sourit davantage et qu'elle est prête à bavarder. C'est peut-être à cause de la vue sur l'océan, des mouettes, des bateaux qui passent. Peut-être à cause de mon attitude calme. Ou des trois maxi-Bacardi 151 sur un estomac sans doute vide.

«Ils servent généreusement ici.» Elle est songeuse et sourit, pas à moi exactement, mais à la vie en général. «Tu trouves pas?

– C'est bien vrai.

– Tu es gentil», dit-elle doucement d'une voix basse et rauque, et cette fois elle ne paraît pas soûle.

Ma première impulsion est de lui demander pourquoi elle a dit ça, d'exiger une explication pour un compliment que je considère pour l'essentiel comme une erreur de jugement. Mais je me souviens d'une chose que j'ai apprise à la maternelle: quand on te fait des compliments, remercie et passe ton chemin. Mon expérience d'adulte m'a appris à ne pas y attacher trop d'importance, parce que les insultes ne sont pas loin.

«Merci.» C'est le premier vrai compliment que je reçois d'une femme depuis un bon bout de temps. «Toi aussi.»

Elle sourit d'un air entendu. J'ignore totalement ce qu'elle sait. Je suis largué. Comme toujours, je ne trouve rien à dire, et elle continue de me sourire. Ne rien dire crée peut-être la bonne ambiance. Je lui souris aussi, jusqu'à ce que je me sente comme un imbécile, et là, pile pour me sauver, on nous appelle pour nous conduire à notre table.

En consultant la carte des vins, je me demande quel genre de conversation entamer. Je ne veux pas trop mettre mon nez dans sa vie personnelle, mais je ne tiens pas non plus à passer la soirée sur les marées et les risques de pluie.

Je pourrais commencer par lui parler de Kelly, selon la théorie qui veut que les femmes sont toujours prêtes à parler de relations sentimentales, mais je n'en ai pas vraiment envie. En plus, Sheila ne doit pas être du genre à se laisser avoir par le numéro du petit ami pleurnichard.

Sheila regarde par la fenêtre la mer qui s'assombrit et elle soupire: «Ma vie est merdique.»

C'est un bon démarrage. «Pourquoi?»

Elle me parle de son mec, avec qui elle vit depuis cinq ans. Ils n'ont plus aucune conversation. Il est tout le temps sur les routes, et quand il est à la maison, il s'en va boire tout seul. Ou en tout cas sans elle. Elle me parle de son travail, qui consiste à brasser de la paperasse pour le bureau des relations publiques de la police. Quand des rumeurs avaient circulé sur la fermeture prochaine de l'usine, son oncle, un flic à la retraite, lui avait demandé si elle voulait entrer dans la police. Elle avait imaginé qu'elle arrêterait des mauvais garçons et aiderait des gens à s'extraire de bâtiments en flammes, elle rougit en décrivant ses espoirs d'être utile à l'humanité. Puis elle rit en décrivant la réalité, un bureau confiné dans le coin le plus sombre des locaux de la police. Elle travaille pour le statisticien chargé de faire en sorte que les chiffres de la délinquance n'augmentent pas. Elle explique que si «viol et enlèvement» devient une catégorie différente de «viol», alors la police peut affirmer qu'il y a eu moins de viols, et qu'elle fait son travail.

«Autrement dit, on n'apporte ni solution ni prévention. On change les appellations.» Apprendre que la police est impuissante à résoudre les crimes est réconfortant pour un homme qui les commet. Je me demande si un jour on lui demandera d'imaginer des façons ingénieuses de décrire une série de meurtres apparemment sans lien et, heureusement, non résolus. Elle a peut-être déjà eu en main le meurtre de Corinne Gardocki. Il a peut-être été catalogué «décès par arme à feu au domicile» pour ne pas aggraver les statistiques d'homicides.

«Alors où est l'aventure? demande-t-elle. Où est le plaisir? Tout est devenu si ennuyeux.» Elle finit son verre. «C'est pour ça que je suis venue ici. Ça me changeait. Et tu as été gentil.»

Pas si gentil que ça. Je me suis occupé d'acheter un fusil trempé de pisse, et ensuite, j'ai surtout été pensif et silencieux. Mais si elle trouve ça gentil, ça n'est pas moi qui la contredirai.

Elle me demande: «Et toi? Où tu en es?»

Question inévitable. Qu'est-ce que je vais dire? Je n'ai jamais imaginé un tueur dans cette situation. J'ai répété mille fois quoi raconter aux flics, mais quoi dire à quelqu'un que je ne veux pas décevoir par un chapelet de mensonges? J'aimerais me rapprocher d'elle en étant honnête, pas me livrer à une joute verbale comme si elle menait mon interrogatoire. Je peux parler de Kelly honnêtement, je décide donc de commencer par là.

«Ma copine m'a quitté. Après les licenciements.

– Je sais. Je parle pas de ça.» Elle ne mord pas une seconde à l'hameçon. Les femmes ont une sorte de sixième sens pour renifler ce que vous essayez de cacher. Elles fouillent aussitôt au bon endroit, comme un chien qui cherche un os enterré. «Je veux dire, qu'est-ce que tu fais ici? Pour Gardocki?»

Je dois avoir l'air interloqué, parce qu'elle se met à rire. «Allons, c'est si grave que ça?»

Je ris aussi, en sachant que c'est sans espoir, mais

j'essaie encore de faire dévier la question. «Comment tu sais que ma copine m'a quitté?

– Tony me l'a dit.

– Et quoi d'autre?

– Que tu es quelqu'un de bien. Que tu es déprimé ces derniers temps. Que tu as besoin qu'une femme bien te remonte le moral.

– C'est ce qu'il t'a dit?»

Elle hausse les épaules. «Mot pour mot.»

Je me penche par-dessus la table, l'air charmeur. «Tu vas me remonter le moral?»

Elle remue le contenu de son verre avec un doigt. J'ai réussi. La conversation est revenue sur un terrain plus sûr. «Peut-être», dit-elle. Puis elle se redresse sur sa chaise, la serveuse arrive avec le vin. Devant la serveuse, elle demande: «Alors, qu'est-ce que tu fais pour Ken Gardocki?»

Quand le vin est servi, je réponds: «J'organise des rencontres.» J'ai goûté le vin comme si je pouvais faire la différence entre l'un et l'autre, et l'ai pompeusement déclaré acceptable. Pendant que la serveuse décrivait les spécialités, j'avais travaillé sur ma réponse, mon ordinateur mental en avait cherché une qui ne soit ni un mensonge ni un aveu de culpabilité. Le résultat aurait ravi un coureur de jupons professionnel, mais je n'avais pas fait attention à ce que j'avais commandé.

«Ce type, aujourd'hui, c'était une de tes rencontres?

– Ouais.

– Je m'attendais pas à…» Elle ne finit pas sa phrase.

«À quoi?

– À ce que tu fréquentes ce genre de personne.» Elle a dit le *tu* comme si j'étais quelqu'un de spécial, d'intéres-

181

sant, un homme qui a une vie qui tient debout, avec des objectifs et des rêves clairement définis.

«Merci.» Sans vouloir offenser Jerry, je suis flatté qu'on nous trouve mal assortis.

Sheila joue l'indifférence. «Tu n'es pas forcé de me le dire si tu veux pas.» Il est évident qu'une réticence prolongée de ma part la décevra totalement et détruira les chances que je peux avoir de ne pas dormir seul cette nuit, mais elle est prête à l'accepter.

«Je te le dirai un jour.» Peut-être. «Je veux acheter un petit magasin chez nous. Je veux le diriger. J'ai besoin de l'argent de Gardocki pour l'acheter, alors je lui rends des services.»

Elle est intriguée. Nous parlons du magasin. Nous parlons de ce que nous voulons faire dans la vie. Sheila veut quitter la police, avoir trois enfants et vendre des produits faits maison sur Internet. Elle est douée pour l'artisanat. Je veux diriger un magasin, et trois enfants me semble un bon chiffre. Nous sommes en train de nous sonder en vue d'un long terme, et juste au moment où je me dis que les questions sur Gardocki sont oubliées, elle déclare : «Tu es pas du genre à travailler pour Gardocki.

– Il est pas si mauvais.

– Mais il engage… des criminels. J'ai rencontré ceux qui lui "rendent des services". C'est des criminels, Jake. Tu n'es pas comme ça.»

J'ai envie de dire que ma floraison est tardive. Heureusement, mon spécialiste personnel de la communication trouve une meilleure réponse. «Ça durera plus très longtemps.»

Elle s'inquiète visiblement. «Ces rencontres… elles sont dangereuses?»

Je réfléchis à la réponse, peut-être trop longtemps.

«Parlons d'autre chose», dit-elle. Elle me raconte que pendant qu'elle était à la plage elle a vu quelqu'un faire de la planche à voile, et elle aimerait essayer demain, si le temps le permet. Pendant qu'elle parle, je réponds: «Oui, elles sont dangereuses.»

Elle s'interrompt. «Tu crois que ça se passera bien pour toi?»

Son inquiétude me touche. Je suis seul depuis si longtemps, j'ai pris le coup le plus dur de ma vie dans un tel isolement que je n'imaginais pas pouvoir encore intéresser quelqu'un. Pendant mes allers-retours à la bibliothèque, je me disais que c'était fini pour moi. L'amour, le bonheur d'être deux, le travail, c'était du passé. Le malheur était trop réel pour que je pense que ma chance puisse tourner. Ça apporte la peur. Pour la première fois depuis que j'ai entamé cette carrière de tueur, j'ai peur de me faire prendre. J'ai quelque chose à perdre. Je regarde les yeux bruns de Sheila, sa crinière noire qui tombe sur ses épaules, je remarque la douceur de la peau de son cou. Je ne veux pas que ce soient des souvenirs quand j'attendrai dans le couloir de la mort d'une prison de Floride.

Je réponds d'une voix mal assurée: «Je crois que ça se passera bien.» Je le confirme par un hochement de tête résolu pour la rassurer, mais je devine qu'elle n'est pas convaincue. «On ira faire de la planche à voile demain après-midi.»

Elle me sourit, mais son sourire est triste, comme si elle ne devait jamais me revoir.

Il est cinq heures et demie du matin et j'entends le bruit de la circulation. Des gens vont travailler. Je suis couché, je regarde le plafond taché d'humidité, et je me demande comment vivent ces gens de Miami qui vont travailler si tôt. Je n'ai jamais rencontré aucun d'eux, bien entendu, mais n'importe lequel pourrait changer ma vie, rien qu'en appelant un flic sur son portable quand il me verrait devant un motel avec un très gros fusil.

Je sens les battements de cœur de Sheila qui dort près de moi, j'entends sa respiration légère. Je caresse son bras, par affection, mais aussi pour savoir si elle dort assez profondément pour que je puisse me dégager et me glisser hors du lit. Elle ne bronche pas. Mon autre bras est sous elle, et je le retire doucement.

Elle fait: «Oumpf» et roule de l'autre côté en soupirant, les yeux toujours fermés. Elle marmonne et je pense d'abord qu'elle me parle, puis je comprends qu'elle rêve. Je reste assis un instant au bord du lit à la regarder dormir, je lui caresse les cheveux. C'est une belle femme. J'ai envie de passer la journée ainsi, de savourer la paix de cet instant en me rappelant la nuit. Je pense au moment où nous sommes rentrés d'une promenade sur la plage, où j'ai ôté mes chaussures avant de me coucher dans mon lit, en pensant qu'elle irait dans le sien, et à l'émotion que j'ai ressentie quand elle s'est pelotonnée contre moi. Elle m'a demandé avec un sourire un peu pompette: «Et maintenant, Jake, qu'est-ce qu'on fait?» J'ai beaucoup aimé l'entendre dire mon nom.

Je mets mon jean sans bruit, mes chaussettes et mes chaussures. J'entends quelqu'un ronfler dans la chambre voisine, c'est le type qui a tambouriné contre le mur il y a quelques heures, fatigué des gémissements et des grincements de ressorts, il avait dû écouter longtemps avant de perdre son calme. Nous faisions plus de bruit que nous ne pensions. Après, nous avons ri un bon moment, ravis de l'avoir mis en colère, puis nous nous sommes endormis. J'avais oublié de mettre le réveil, mais je me suis quand même réveillé à l'heure. La nouveauté d'avoir quelqu'un à côté de moi a bousculé mon nouveau rythme de sommeil.

La robe dorée de Sheila est posée sur ma valise ouverte, et je l'étends sur mon lit en faisant attention de ne pas la froisser. Je la contemple, étalée, sans Sheila à l'intérieur. Ce n'est qu'un morceau de tissu doré. Je prends un T-shirt blanc dans ma valise et je l'enfile, puis je tire le fusil et la baïonnette de sous le lit. Je remets la robe sur ma valise. J'enlève le couvre-lit et enveloppe le fusil dedans.

J'hésite une seconde à emporter la baïonnette. Qu'est-ce que je peux en foutre, charger le type si je ne peux pas lui tirer dessus? J'envisage de la remettre sous le lit, mais j'aime bien son contact, son poids. Sa présence m'apporte une sorte de stimulant psychologique. Je la glisse dans ma ceinture, je me relève et me vois dans la glace. Je suis complètement hirsute. J'ai l'air d'avoir baisé toute la nuit.

J'essaie de me lisser les cheveux, mais ils se redressent tout de suite pour reprendre leur allure saut du lit. Inutile de s'inquiéter pour ça. J'espère ne pas rencontrer trop de monde. Je tapote ma poche. Clef de la chambre, je vérifie. Mon portefeuille sur la coiffeuse. Je vérifie. Je ne veux pas l'avoir sur moi. Je me penche pour embrasser Sheila sur la joue. Elle murmure.

C'est l'heure d'aller tuer un pilote.

Dehors, il fait encore noir, mais une vague coloration du ciel indique que l'aube arrivera bientôt. Je sors sur la plage, où j'entends des mouettes crier, et je remarque que le bruit de la mer est beaucoup plus faible qu'hier soir. La mer s'est déplacée. C'est marée basse.

La mer est très loin. Elle a reculé d'au moins cent mètres. Je m'assois à côté du système de climatisation de l'hôtel et regarde la mer, en comprenant que d'ici je ne peux rien atteindre dans l'eau. Si j'avais un fusil à lunette tout neuf, un trépied et un silencieux, ce serait peut-être possible. Mais avec cette relique de la Seconde Guerre mondiale, imprégnée de pisse, je ne peux pas y arriver. Le type d'*Il faut sauver le soldat Ryan* n'y arriverait pas non plus. Je m'adosse à la climatisation, j'écoute son ronron-nement régulier en cherchant une excuse à fournir à Gardocki.

Pour m'entraîner, je lève le fusil et dirige le canon vers la mer, en visant une jetée noire au loin. Je sens une bouf-fée de pisse. J'ai eu beau essuyer la crosse plusieurs fois, l'odeur d'urine semble s'être incrustée dans le bois de façon permanente. J'abaisse le fusil. C'est impossible. Gardocki devra s'en charger. Naturellement, si je reviens sans avoir tué ce type, il n'y aura pas de magasin pour Tommy et moi, et Gardocki tempêtera pour que je lui rende l'argent qu'il a déboursé pour m'envoyer avec Sheila à Miami. Je me retrouverai au point de départ, devant du fric à un gangster sans aucune perspective d'en gagner. Je pense à ce que je pourrais lui dire. Que le pilote ne s'est pas montré ? Il croira peut-être qu'il n'est pas allé nager à six heures du matin, qu'il avait d'autres projets. Il n'aura qu'à se débrouiller. Mais ensuite quoi ? Je rentre dans mon appartement glacière et j'essaie de persuader Sheila de quitter son mec pour s'installer avec un tueur à gages au chômage qui raconte à ses clients qu'il n'a pas pu trouver ses cibles ?

J'aperçois alors une silhouette en short de bain qui se dirige vers l'eau.

Merde. Je suis là. Ça vaut le coup d'essayer. Je me mets à plat ventre sur le sable et j'observe la petite silhouette qui tâte l'eau, entre dans les vagues. Je sens l'adrénaline monter à présent, et je sais que ça va arriver. Je ramasse le fusil pisseux et j'avance lentement en essayant de le viser.

Pas moyen. Il est à des kilomètres et il se déplace. Il commence à faire clair. Cinq minutes plus tôt j'étais presque dans l'obscurité. Et maintenant je peux voir toute la plage. Dans quelques minutes il fera grand jour, et les gens pourraient se demander pourquoi je rampe dans le sable avec un fusil. Je bondis, je cours, je me rapproche de cinquante mètres, cinquante mètres de plage à découvert, et je me recouche. D'ici, en tournant la tête, je vois l'hôtel de dix étages du pilote. Une ou deux fenêtres seulement sont éclairées.

Il nage. Je vois un bras sortir et replonger, mais il est encore trop loin. La plage est toujours vide. Je bondis de nouveau et j'avance encore de cinquante mètres.

Ça y est. Je me jette sur le sable et je vise. Il arrête un instant de nager, il est debout pour reprendre son souffle, et je tire.

BANG.

J'ai l'impression que le fusil a explosé entre mes mains en emportant la moitié de ma tête. Je ne le tenais pas assez fort et l'arme m'a heurté en reculant, le tintement dans mes oreilles est dû en partie au bruit et en partie à l'impact de la crosse. Je relève la tête pour regarder.

Je ne le vois pas.

Bon Dieu, je l'ai eu ? Il est parti ! Je suis sur le point de me relever et me précipiter à l'hôtel, mais je décide d'attendre encore quelques secondes pour avoir une confirmation quelconque, peut-être deviner un torse sans vie roulant paresseusement dans les vagues. À cette distance, je pourrais peut-être même apercevoir des traînées de sang dans l'eau. Puis je le vois sortir de l'écume en s'ébrouant.

Le salopard était sous l'eau. Et je l'ai complètement raté. Il n'a même pas entendu le coup de feu. Il s'avance vers le bord et je tire de nouveau.

BANG.

Cette fois je serre le fusil bien plus fort, mais il essaie encore de m'échapper. Qui pourrait toucher quelque chose avec ce tas de merde ? Cette fois il a entendu tirer. Il s'arrête et regarde autour de lui.

Je crie : «Bordel!» *BANG BANG BANG clic.* Ça y est. Soit je suis à court de munitions, soit il y a du sable dans ce tas de merde. De toute façon, fini de tirer. Je vois encore ce salaud. Je ne l'ai même pas écorché. Le pilote est dans l'eau, accroupi, il essaie de comprendre à quoi rime cette fusillade. Il me voit.

Le voilà qui court vers l'hôtel.

Oh merde. Je bondis, tenant toujours le fusil inutile. C'est maintenant une course. Il est ralenti par le ressac, je suis ralenti par le sable. C'est trop loin, je ne l'attraperai pas. Je cours vers la mer, là où le sable a été lissé par la marée, et je prends de la vitesse. Dieu du ciel, il va m'échapper. Bordel de merde…

Il trébuche.

Il tombe et se débat pour reprendre l'équilibre, puis il retombe. Je franchis vite la distance. Il se relève, me voit arriver vers lui à fond de train, se retourne et saute de nouveau dans les vagues.

Il va essayer de m'échapper en nageant. Pour aller où,

en Angleterre? Je suis à présent assez près pour l'entendre crier tout seul en se débattant pour remonter chaque vague. Je me rends compte que s'il arrive en eau profonde, il pourra se cacher. Je patauge à sa suite en tenant toujours le fusil, j'ai de l'eau jusqu'à la taille. Mes chaussures et mes chaussettes sont en béton.

Une vague arrive et manque de me renverser. Quand je regarde autour de moi, il a disparu.

Merde.

Je titube encore quelques mètres, je lâche le fusil et je prends la baïonnette. Ça n'est guère qu'une pointe aiguisée avec un embout très lourd qui doit se fixer au fusil. Ça ferait une bonne massue, parce que la pointe n'a pas de lame, on peut donc la tenir et frapper avec la partie lourde. La vague se retire. Rien. Il reste sous l'eau.

Le jeu peut se jouer à deux. Une autre vague arrive, je tombe à genoux et entre sous l'eau, l'eau salée me remplit la bouche et me brûle les yeux. La baïonnette à la main, je me faufile vers l'endroit où je l'ai vu la dernière fois. Rien.

Hors de moi, je regarde du côté de la plage où je m'attends à le voir sur le sable filer comme un éclair vers l'hôtel. Rien. C'est bon. Au moins, il est toujours dans l'eau. Il fait grand jour à présent. J'aperçois au bout de la plage une silhouette qui court vers nous avec deux chiens. Je rampe dans l'écume, comme un alligator, en ne laissant que ma tête hors de l'eau et en marchant avec les mains sur un sol de galets. Je me déchire les mains dessus, mes jointures raclent des coquillages et des débris.

La marée descend, elle m'éloigne de la plage et m'expose. Elle l'expose aussi. Je le vois, le salaud.

Il sort légèrement la tête hors de l'eau, à moins de cinq pas de moi, et je l'entends chercher à respirer en essayant de calmer ses halètements désespérés. Il est face à l'hôtel, il se retourne affolé. Il ne me voit pas parce qu'il cherche un homme debout, il ne prend pas la peine de vérifier le ressac autour de lui. Il essaie de le franchir en direction de la plage, convaincu de m'avoir semé. Je pense que non. À ma manière d'alligator, je suis bien plus rapide. La vague qui va s'écraser sur la plage m'emporte droit vers lui. En une seconde, je suis dessus.

Il va tourner la tête. La partie lourde de la baïonnette s'abat sur son crâne. Il se dirige toujours vers l'hôtel, mais plus lentement à présent. Ses jambes l'abandonnent. Je ramène le bras et je le frappe de nouveau, cette fois de toutes mes forces. J'entends son crâne craquer. Ses jambes fléchissent et il tombe dans les vagues.

J'attrape son bras inerte, je le tire dans le ressac. Je le tiens fermement en le traînant vers le large. À une centaine de mètres le jogger avec les deux chiens vient dans ma direction et se rapproche. Je continue à remonter le pilote dans les vagues, de plus en plus loin. J'enfonce son corps et je me mets debout sur lui tout en enlevant ma chemise. Le jogger passe en courant et je lui fais signe. Il ne répond pas. Je suppose qu'il ne m'a pas vu.

Je traîne encore le pilote sur cinq ou six mètres, et je me dis tout à coup que je suis en train de nager avec un corps sanglant dans des eaux où il y a eu récemment des attaques de requins. Je le lâche, je le pousse vers l'Angleterre, en espérant qu'un requin géant surgira de nulle part et dévorera la pièce à conviction, ou qu'une forte marée l'expédiera à Liverpool.

Le corps refait brusquement surface et se balance. Je lâche la baïonnette et me mets à nager vers la plage.

Quand j'atteins le bord de l'eau, je sors lentement.

Je prends le couvre-lit que j'ai laissé près de la climatisation, je le secoue, le remets sur le lit dès que reviens dans la chambre. Puis je saute sous la douche. Je fais disparaître tous les résidus de sable et de mer, je me lave les cheveux et les remets en forme. Puis je rejoins Sheila dans le lit et remonte les couvertures. Elle fait un mouvement.

Tout ensommeillée, elle marmonne : « Où tu étais ?

– Je viens de prendre une douche.

– Oumpf. » Elle roule de mon côté et pose la main sur ma poitrine.

Je regarde ma montre. Sept heures moins le quart. Tout ça a pris moins d'une heure.

« J'ai cru entendre la porte s'ouvrir, dit Sheila.

– Naan. »

Elle ouvre les yeux et je vois qu'elle me regarde, je me prépare à l'entendre me traiter de menteur, me demander des explications. Elle va dire quelque chose, quelque chose de définitif, quelque chose d'épouvantable. Elle est réveillée à présent. Elle me demande : « Tu veux toujours aller faire de la planche à voile aujourd'hui ?

– Bien sûr. »

Elle sourit. Elle referme les yeux, et en quelques minutes elle respire régulièrement et profondément, c'est la respiration de quelqu'un qui est perdu dans un beau rêve.

9

Je suis de nouveau au magasin. Je dois travailler les sept prochains jours, parce que Tommy a travaillé non-stop à cause de mon voyage et a besoin de repos. Je réorganise un présentoir de chips, en mettant tous les produits Wenke sur l'étagère du bas. Je les mettrais dans la réserve si j'avais la place. Je vois Ken Gardocki s'arrêter et faire le plein de son 4x4. Il conduit lui-même. Les temps sont durs pour tout le monde. Je suppose que depuis que Karl ne fait plus partie du décor, un poste de chauffeur va se présenter.

En entrant dans le magasin, Gardocki ne sourit pas. Il se sert un soda, puis vient au comptoir, prend un paquet du présentoir et me demande : « Alors, Jake, qu'est-ce qui s'est passé ? »

Je suis surpris par son expression. Je réponds doucement et gaiement : « Tout a bien marché. » J'ajoute à voix haute : « Ça fera trois cinquante pour les clopes, quatre-vingt-dix-neuf cents pour le soda, et vingt-six dollars pour l'essence. » Je tape les prix et je lui donne le ticket.

Il me paie. « Jerry Grzanka m'a téléphoné. Il a dit que tu n'as jamais été chercher le fusil.

– Qu'est-ce qu'il raconte ? Je suis allé le chercher. »

Gardocki boit son soda, me regarde par-dessus sa paille, un regard dur, inquisiteur. « Pourquoi, à ton avis, Gerald Grzanka, un homme que je connais depuis toujours, me dirait que tu n'y es pas allé ?

– Tu connais ce type depuis toujours ? » Bien que je sois certain que personne ne viendra jamais regarder de nouveau les enregistrements de notre système de sécurité, je regarde nerveusement les caméras. Il y a quelque chose d'intimidant à être filmé, à savoir que chacun de vos gestes est enregistré pour la postérité. Ça vous force à être honnête, mais ça vous impose aussi une mentalité de soumission. C'est sans doute pour ça que Gas'n'Go aime ce système, parce qu'il peut transformer les hommes et les femmes qui travaillent ici en autant de souris de laboratoire. Je dis: «Allons dehors.

– Pourquoi?» Gardocki ne bronche pas. Il se tourne face à une caméra et hurle: «À TON AVIS, POURQUOI MON AMI DE TOUJOURS GERALD GRZANKA ME MENTIRAIT?» Puis il garde les yeux sur la caméra, comme s'il attendait une réponse.

D'accord, c'est bizarre. À présent je vais devoir effacer cette bande. Ce qui est encore plus bizarre, c'est que Gardocki pose une question légitime.

«Ken, je dis très doucement pour essayer de réduire le niveau de décibels de la conversation. Je comprends pas ce qui se passe. Pourquoi on va pas dehors?

– TU VEUX DIRE QUE TU AS TUÉ LE PILOTE?» hurle Gardocki à la caméra.

J'explose: «TU VAS LA FERMER BORDEL!» juste à l'instant ou une femme et sa petite fille entrent dans le magasin. Elles nous regardent et ressortent. «Bravo, tu viens de me coûter une cliente.» Je réagis déjà comme si le magasin m'appartenait. «Écoute, j'ignore ce que ce con t'a dit, mais...

– C'est pas un con, fiston, siffle Gardocki. Je lui confierais ma vie. Et s'il me dit que tu n'as pas pris le fusil, c'est que tu ne l'as pas pris.

– J'ai pris le fusil.»

Gardocki s'écarte du comptoir en tenant ses cigarettes et son soda, il secoue la tête d'un air écœuré. «On était au Vietnam ensemble. Tu me dis qu'un type avec qui j'étais au Vietnam...

– Le gamin n'avait même pas vingt ans.

– Quoi?

– Cet accro à l'herbe. Il avait même pas vingt ans.

Il m'a donné une saloperie de flingue qu'il utilisait pour garder le couvercle de ses chiottes levé. C'était un tas de merde de la Seconde Guerre mondiale, trempé de pisse, et je pouvais rien atteindre avec.» Je fulmine. «C'était quoi cette putain d'idée? Tu me prends pour qui, Lee Harvey Oswald? J'ai failli me faire tuer, salaud. Tu sais que ce type a failli m'échapper? J'ai dû le poursuivre et…

– Moins de vingt ans?»

Je suis hors d'haleine. «Quelque chose comme ça. J'ai pas demandé.

– Assez gros? Avec des cheveux blond roux?

– Tout juste.

– C'est le fils de Jerry.

– Je sais. J'ai travaillé un ou deux ans avec son père au chargement. Je m'en souviens. Un gros avec une drôle de moustache.»

Gardocki cogite ferme. «Alors c'est le fils de Grzanka qui t'a donné un fusil.

– Ouais.

– Pourquoi pas le vieux?

– Nom de Dieu, Ken, je suis allé à l'adresse que tu m'as donnée et j'ai demandé Gerald. C'est ce que tu m'avais dit de faire.

– C'est de Gerald que je parlais, pas de Jerry. Jerry Junior est un abruti.

– Sans blague.»

Gardocki se met à rire. Il revient au comptoir. «Merde, j'ai dû te donner son ancienne adresse. C'est une baraque pourrie où il laisse habiter son fils.» Gardocki paraît confus de son oubli. «Il a déménagé il y a quelques années.»

Bon. Mais je suis encore un peu vexé que Gardocki se soit énervé si vite contre moi.

«Jake, Grzanka avait un beau flingue pour toi. Une vraie beauté. Il m'a coûté deux cents sacs. Avec lunette et tout.

– Et un silencieux?

– Ça, je sais pas, mais il se démonte et se range dans une mallette, comme tu voulais. C'est bien ce que tu voulais, hein?

– Ça, ç'aurait été bien.

– Alors du coup, comment tu as buté le type?» Gardocki continue de rigoler.

«J'ai dû le pourchasser sur la plage avec une baïonnette.»

Gardocki pouffe, il hurle de rire: «Une baïonnette!», et je regarde nerveusement du côté de la caméra de surveillance. Je vais devoir *brûler* cette bande, mais le rire de Gardocki est contagieux, et je me mets à glousser en racontant comment j'ai tiraillé sur le pilote avec mon fusil imprégné de pisse et enrayé par le sable, sans aucun succès, puis barboté dans les vagues en jouant à l'alligator. À la mention de l'alligator, Gardocki rit aux larmes.

Il s'essuie les yeux. «Oh, Jake, tu es un sacré fêlé. Et la fille? Tu en as trouvé une?»

Je fais signe que oui, je ne veux pas mêler Sheila à cette histoire.

«Tu la baises, hein?» Il rit, mais pas moi, et il comprend tout de suite. «C'est du sérieux?

– Sais pas. On verra.

– Bravo.» Je sens qu'il est réellement content pour moi, et je trouve ça presque touchant. «En tout cas, passe à mon bureau demain. J'ai de l'argent pour toi, et peut-être encore un peu plus de travail.»

Un peu plus de travail? Gardocki a besoin que je tue

combien de gens? Je supposais que l'affaire du pilote était sans doute la dernière. Je suis retombé sur mes pieds à présent, j'ai du liquide. Je peux avoir une femme, je ne suis plus autant en colère qu'avant. Le feu dans les tripes qui m'a amené là s'en va. Mes problèmes disparaissent devant mes yeux, et si Gardocki n'y voit pas d'inconvénient, je préférerais vraiment n'assassiner personne pendant quelque temps.

Je réponds prudemment: «D'accord, Ken. On se voit demain.»

Il rit encore en sortant. Quand la porte se referme derrière lui, je l'entends dire: «Sacré fêlé.»

Je vais au système de sécurité et je sors la bande, je la remplace. Je m'apprête à jeter la bande à la poubelle quand me vient une dernière pensée paranoïaque... et si quelqu'un la trouvait dans la poubelle? Ça suffirait à me faire condamner. Je brise le boîtier et je sors la bande, puis je prends un seau dans le fond. Quand il n'y a personne, je l'emporte dehors et j'y verse une giclée d'essence. Plus tard, je ressors, et derrière la poubelle je jette une cigarette allumée dans le seau. WHOOF. Un problème de moins.

Je me rappelle soudain qu'il y a une caméra devant les pompes, à présent il existe donc une bande sur laquelle je brûle une bande.

Ça ressemble beaucoup au travail d'un chef du service du chargement. Vérifier et revérifier sans répit, surveiller impérativement chaque détail. L'usine m'a formé pour ça. Quand je jette la deuxième bande dans le seau, en laissant la machine temporairement vide, je me dis que finalement je n'ai fait qu'appliquer mes compétences à un usage différent. Voilà ce qu'ils ont gagné à me prendre mon boulot.

En rentrant chez moi ce soir-là, je trouve trois messages de Sheila. Elle pense à moi. Je ne peux pas la rappeler parce que son camionneur est là, alors je me contente d'écouter ses messages en boucle, pour le plaisir d'entendre sa voix. Entre ses messages, il y en a un de Tommy qui me demande où j'ai bien pu fourrer certaines clefs. Je suppose qu'il les a trouvées, sinon il aurait rappelé toutes les dix minutes. En écoutant trois ou quatre fois les messages de Sheila pour m'assurer que rien ne m'a échappé, je dois donc écouter aussi Tommy rouspéter autant de fois. Finalement je me dis que je me comporte comme un collégien et j'efface tout.

Je sors prendre quelque chose dans ma voiture, et en revenant, je trouve un nouveau message. Merde ! Je n'ai été absent que trois minutes, et c'était probablement la dernière fois que Sheila appelait ce soir. J'appuie sur le bouton.

Je sais que tu as tué Corinne Gardocki, dit une voix d'homme étouffée. *Je sais tout. Je veux dix mille dollars pour pas aller voir les flics.*

Et moi qui croyais que mes ennuis se terminaient.

Je sais que tu as tué Corinne Gardocki, dit la bande, et Gardocki appuie sans cesse sur *rewind* pour réécouter. *Je sais que tu as tué Corinne Gardocki… Je sais que tu as tué Corinne Gardocki… Je sais que tu as tué Corinne Gardocki.*

Nous sommes dans un champ, c'est là que Gardocki aime parler affaires. Chaque fois un champ différent, au cas où les flics auraient décidé de coller des micros en pleine campagne. Je crois qu'il est en train de se laisser gagner par les mesures de sécurité, mais on n'est jamais trop prudent.

«Nom de Dieu, Ken, tu arrêtes ça?» Cette voix commence à me flanquer la trouille. Gardocki ne fait pas attention à moi. Il écoute et réécoute la cassette en hochant la tête d'un air pénétré. *Je sais que tu as tué Corinne Gardocki. Je sais que tu as tué…*

«Écoute-ça», dit-il tout content. Il sort une cassette du rangement entre les sièges de son 4x4 et me rend la mienne. *Je sais que tu as tué ta femme*, dit la même voix. Ken passe et repasse le message avec un sourire mauvais. *Je sais que tu as tué ta femme… Je sais que tu as tué ta femme… Je sais…*

Je dis: «C'est la même personne.

– Ouais.» Il a un grand sourire. «Sauf que c'est pas du tout pareil.

– Pourquoi?

– Parce que tu es dans l'annuaire et moi pas. Une seule personne connaît à la fois mon numéro et le tien.»

Je réfléchis un instant. «Jeff Zorda?

– Bingo.» Gardocki rit. «C'était le travail dont je voulais te parler. J'allais te faire écouter ma cassette quand tu m'as apporté la tienne, et c'est la confirmation. Je pensais que c'était Zorda, mais j'en étais pas sûr avant d'entendre la tienne.

– Tu veux que je tue Zorda?» Il y a eu des moments où je me suis dit que j'aimerais tuer Zorda, mais c'était bien avant que tuer pour de bon devienne une réalité. On ne peut pas tuer des gens avec qui on a travaillé, regardé des matchs, bu des bières. Ceux qui font ça sont dérangés. «Pourquoi j'irais pas simplement lui parler?»

Gardocki me regarde avec un amusement visible. Il a l'air de bonne humeur aujourd'hui. L'identification de son maître chanteur est un véritable euphorisant. «Tu en as marre, pas vrai?»

Je vois de la compréhension dans ses yeux. Il connaît les hommes. C'est une qualité que j'ai toujours aimée chez lui, à l'époque où je le connaissais à peine et où il prenait mes paris au bar avant les matchs des Packers. «Un peu, oui.

— C'est la baise.» Gardocki secoue la tête. «Tu te rappelles ce que je t'ai dit? À propos des hommes et des femmes? Un type seul, c'est beaucoup plus sûr. Quelques galipettes de plus dans le foin et tu lui raconteras tout.

— Je ferais pas ça.» Mais il ne me croit pas. Il me regarde comme il l'a fait au magasin quand il pensait que je mentais à propos du pilote. J'ai commencé dernièrement à me demander jusqu'où Gardocki a confiance en moi. Je reconnais que c'est une situation difficile, chacun doit faire entièrement confiance à l'autre, mais cette histoire avec le pilote m'a troublé. Et sa façon de crier devant les caméras vidéo était indigne d'un criminel de carrière qui se respecte. L'espace d'une seconde, l'idée me vient que je pourrais m'y montrer meilleur que lui, psychologiquement mieux adapté. «Je ne veux plus le faire, il est derrière moi. Ma vie n'est plus détruite. Je recolle les morceaux.»

Gardocki me dévisage. Je crois qu'il sait à quoi j'étais en train de penser, que je pourrais faire son travail mieux que lui, être le patron de la pègre de la ville.

Il a cette façon de regarder au fond de vous comme s'il comprenait tout ce qui vous fait fonctionner. Il est plus fort que les flics. Si jamais je décidais de diriger le crime dans cette ville, il faudrait que j'apprenne à avoir ce regard. Mais je ne veux pas. Je veux diriger un magasin, et retrouver une femme quand je rentre chez moi.

«Bute ce salaud.

– Je lui parlerai.

– Bute-le. Tue-le. Bousille-le. Jette son corps quelque part dans de la chaux.

– De la chaux?

– Ensuite verse de l'essence sur lui et écrase-lui le crâne. Pas de dossier dentaire. Rien.

– Je lui parlerai.

– Écoute la cassette, Jake. » Il remet le magnétophone en route et me passe le plus grand tube de Zorda. *Je sais que tu as tué ta femme… Je sais que tu as tué ta femme.*

« Je lui parlerai. »

Gardocki lance le magnétophone dans sa voiture et sort un étui de cuir brun. Il me le tend. « Prends ça juste au cas où la conversation se passerait pas trop bien. »

C'est un bon conseil.

Je suis censé aller chez Zorda et le tuer, ou lui parler, selon ce qui sera le plus commode, mais ce que j'ai vraiment envie de faire c'est aller surprendre Sheila dans les locaux de la police et l'inviter à déjeuner. Je ne l'ai pratiquement pas vue depuis notre retour de Miami, et nous nous manquons chaque fois au téléphone. Son camionneur repart sur la route ce soir, je pourrai donc la rappeler après neuf heures environ, et peut-être devrai-je faire un saut à l'épicerie, acheter quelque chose pour lui préparer à dîner. Je ne suis pas mauvais cuisinier. Je devrai sans doute passer lui prendre une rose chez le fleuriste. Je parie que le gros abruti avec lequel elle vit ne lui a pas offert de rose depuis un certain temps, s'il l'a jamais fait. Pour ça il faut régler rapidement l'affaire Zorda, quel qu'en soit le résultat, parce que le fleuriste ferme sûrement à cinq heures, et il est presque trois heures.

En entrant dans la rue de Zorda, je pense au mec de Sheila. Je me demande s'il fera beaucoup d'histoires quand elle essaiera de le quitter pour moi. Naturellement, il y a la solution évidente. Je pourrais «le rencontrer» dans un de ses relais routiers et l'abandonner dans une poubelle, et la question ne se poserait plus. Mais ce Jake-là doit disparaître. J'essaie de perdre l'habitude de tuer les gens qui me rendent la vie dure. J'ai la possibilité de reconstruire quelque chose. Quel mari, quel père, quel petit commerçant bute régulièrement les gens? Non, je vais devoir lui parler, le raisonner. Lui, Sheila et moi pouvons en discuter quelque part. Ce sera une soirée détestable. Je m'arrête devant chez Zorda et ouvre l'étui, je laisse le poids du pistolet tomber dans ma main. Je regarde l'arme, son poids est réconfortant, son chrome me donne une sensation de luxe et de pouvoir. Putain, la poubelle du relais routier est tellement tentante. Sheila n'aurait pas besoin de le savoir.

Non, non, non. Qu'est-ce que c'est que cette façon d'entamer une relation amoureuse?

Je mets le pistolet dans ma ceinture et vais frapper à la porte de Zorda.

«Hé», dit Zorda en ouvrant la porte, et son ton est... un brin faux. Il sait pourquoi je suis là et il pense que je vais le tuer. Je n'arrive pas à savoir ce qui cloche, mais j'ai la sensation que les choses ne sont pas normales entre nous. Il manque à son salut, et au mien, le naturel, la détente, mais nous essayons tous les deux de prétendre que le naturel est là.

«Entre donc, Jake.» Finalement, je peux peut-être dire ce qui me dérange. Je ne suis pas venu chez lui depuis les licenciements, et il ne me demande pas pourquoi je suis là. Et il est pâle. Je crois sentir la peur sur lui quand il propose de prendre mon manteau. *Prendre mon manteau?* Je suis une tête couronnée? Oui, décidément quelque chose ne tourne pas rond. S'il n'avait pas laissé un message de chantage sur mon répondeur, au lieu de: «Je prends ton manteau?» j'aurais entendu: «Qu'est-ce qui t'amène, ducon?»

J'ai vu des films où des truands rendent visite à quelqu'un qu'ils vont descendre. Comme ils savent tous ce qui va se passer, mais que personne ne veut le dire, il y a cette tension supposée, ce dialogue forcé. Je me suis toujours posé des questions sur ces scènes. Existent-elles dans la réalité? Quel gaspillage d'énergie de tourner comme ça autour du pot. Je ne ferais pas un bon truand. Je sors la cassette de ma poche et la jette sur le verni écaillé de la table basse de Zorda.

Je demande: «Ça veut dire quoi, cette cassette?»

Zorda me regarde moi, pas la cassette. «De quoi tu parles?»

Quelqu'un qui n'aurait pas laissé ce message regarderait la cassette, pas mes yeux pour connaître son avenir. Il jette ensuite un coup d'œil à ma ceinture en essayant de savoir si j'ai une arme ou pas. Elle est à l'arrière de ma ceinture, il ne peut pas la voir. J'indique le canapé. «Assieds-toi.»

Il reste debout. Il répète: «De quoi tu parles? J'ai jamais vu cette cassette.»

C'est probablement vrai. Elle a passé toute sa vie dans mon répondeur, et je doute qu'il ait en effet *vu* la cassette. Il essaie de s'en tenir à la vérité, avec les mots justes et les omissions d'un menteur. C'est trop facile à repérer.

Je demande: «Comment tu l'as découvert?

– Découvert quoi, Jake, mon vieux, de quoi tu parles?»
Il sourit à présent, un signe de soumission parfaitement
déplacé. Quelqu'un vient chez lui, l'accuse, et il joue la
conciliation. Le véritable Jeff Zorda m'aurait foutu
dehors en hurlant. Son sourire nerveux et ses protesta-
tions inutiles d'ignorance commencent à m'agacer.

J'ordonne: «Assieds-toi. On va pas déconner tout
l'après-midi.

– Jake, mon vieux, tu veux une bière ou autre chose?»
Il est prêt à courir à la cuisine et je n'ai pas d'autre choix
que sortir mon pistolet. Gardocki avait raison. Sans
l'arme, ç'aurait été un désastre. Zorda se fige. Il est terri-
fié. Il recule d'un pas et pourrait encore courir à la cuisine, alors je pointe le pistolet sur son nez.

«Assieds-toi.

– Jake, vieux, je jure…

– S'il te plaît, assieds-toi, pour l'amour du ciel.

– Je jure que je sais pas de quoi tu parles, Jake, qu'est-
ce qui te prend. Je t'apporte une bière…

– JEFF!» Je hurle. Je tiens mon pistolet à moins d'un
mètre de sa tête et je parle très calmement. «Je vais te
tirer dans la tête. Tu comprends ça? Je vais te tirer dans la
tête ici, dans ton living, si tu ne t'assieds pas.»

Il me regarde et, heureusement, se tait.

«ASSIEDS-TOI, BORDEL DE MERDE!» Je perds mon
calme. C'est difficile de traiter avec des gens terrifiés. Je
me vois en train de le cribler de balles rien que parce qu'il
a peur. Mais je ne veux plus être comme ça. Je dois penser
à remettre ma vie en ordre. Je pense à Sheila, assise à son
bureau, qui s'ennuie à fausser les statistiques de la délinquance. Quand Zorda finit par s'asseoir (Dieu merci), je
respire très profondément.

Zorda dit d'une voix tremblante: «Jake, Jake, je sais pas ce...

– TA GUEULE!» Je ne suis pas prêt pour les supplications et les dénégations. Je comprends peut-être les manières des truands à présent. Les conversations tranquilles qui masquent la réalité d'une situation ne sont qu'un moyen de faciliter la tâche du tueur. Je voudrais que Zorda ait vu quelques-uns de ces films. «Je veux que tu la fermes et que tu m'écoutes, OK?

– Jake, si quelqu'un t'a fait du tort, c'était pas moi.

– Je vais te poser des questions. Tu vas y répondre. Si tu réponds honnêtement à toutes les questions, tout à fait honnêtement, tu auras le droit de vivre. Tu comprends?»

La possibilité de survivre à cette entrevue provoque immédiatement chez Zorda une respiration agitée, l'espoir de la vie grandit en lui, la peur le quitte. Je le laisse haleter quelques secondes et regarde autour de moi. Son appartement ressemble beaucoup au mien, sauf qu'il a volé son branchement au câble et que sa télé est plus belle. J'aime bien ce qu'il a fait avec les murs, une peinture beige rend l'endroit plus intime que le blanc cassé que j'ai chez moi. Et puis il a toujours su s'occuper des plantes. Je devrais apprendre. Quelques techniques de jardinage sont bien utiles quand on essaie de transformer une maison en chez soi. Kelly a emporté toutes les plantes et je n'ai jamais vraiment pensé à les remplacer. Je me retourne vers Zorda, qui est une loque en sueur.

Je lui demande: «Tu veux une cigarette?

– Oui.» Je sors mon paquet, nous prenons tous les deux une cigarette et nous l'allumons.

«J'aime beaucoup ce que tu as fait dans ton appartement.

– Merci.» Il souffle la fumée. Il est encore effaré, se demande à chaque seconde de conversation si elle sera la dernière, et en ce moment discuter de son installation n'est pas vraiment pour lui une priorité.

«Tu comprends ce que ça veut dire… être complètement honnête?»

Il comprend.

«D'accord. Question numéro un. Comment tu l'as découvert?»

Il souffle de nouveau la fumée, sans me regarder directement, et répond doucement: «Je suis allé te voir au magasin, et Tommy m'a dit que tu étais pas en ville.

– Et alors?

– Il l'a dit d'une drôle de façon.»

Tommy, bon sang. Ce type n'a jamais pu mentir correctement. Tant pis. Ça devrait en faire un bon associé.

«Ensuite il m'a dit que vous alliez acheter le magasin tous les deux. D'où tu sors l'argent pour voyager et acheter un magasin? Et j'ai commencé à réfléchir.»

Je pense à avoir une conversation avec Tommy, mais Zorda est lancé. Maintenant que j'ai réussi à le faire parler, il ne s'arrête plus.

«J'ai repensé à la conversation qu'on avait eue chez Tulley, quand je t'ai dit que Ken Gardocki m'avait proposé du fric pour tuer sa femme. Et j'ai fait le rapprochement. Putain, Jake, il y a deux mois tu avais même pas de quoi acheter tes cigarettes. Et je sais qu'ils paient pas grand-chose dans ce minable Gas'n'Go.»

Je veux lui demander aussi comment il avait organisé le paiement de ce qu'il exigeait pour se taire, mais il redémarre.

«Merde, Jake, c'était pas juste. C'était pas juste. Il m'a

demandé si je voulais le faire, et quand je lui en ai reparlé quelques jours plus tard, il m'a dit qu'il avait changé d'avis. Il a fait comme si ç'avait été une plaisanterie. J'avais besoin de fric. Je peux pas vivre comme ça, à attendre que le facteur m'apporte ces putains d'allocations de chômage.» Sa voix se brise et il se met à pleurer. «Il me faut quelque chose à *faire*, vieux, tu comprends? N'importe quoi, je m'en fous. J'ai besoin de *faire* quelque chose. Tu peux comprendre ça?» Son regard est implorant.

«Bien sûr.

— Et c'est toi qui as le boulot. Il t'a donné mon boulot, le con.

— Jeff, je regrette, vieux.

— Fais chier! J'aurais pu le faire. J'aurais fait du bon boulot. Pourquoi il a pas vu ça? Qu'est-ce que j'ai? Pourquoi c'est toujours toi qu'on choisit?

— De quoi tu parles?

— Je parle de ça. Je parle de l'usine. Tu te rappelles? Tu te rappelles?

— Me rappeler quoi?» La main qui tient le pistolet s'est ramollie, l'arme repose contre ma cuisse. Je vois les larmes de Zorda couler sur ses joues et je me demande s'il perd la tête, si la peur lui fait dire des incohérences. Mais il n'est plus tellement effrayé. «Quoi, Jeff? De quoi tu parles?

— Ç'aurait dû être mon boulot, à l'usine. On aurait dû me nommer moi responsable du quai d'embarquement. Mais ils l'ont pas fait. Pourquoi? Pourquoi c'est toujours toi? Pourquoi tu me tues pas, salaud. Pour en finir. De toute façon, tu as foutu ma vie en l'air.»

Je me souviens à peine de ce dont il parle. Il y a huit ans, ils ont dit aux caristes qu'il y avait une chance de promotion sur le quai d'embarquement. J'ai rempli les formulaires, j'ai eu un entretien, et j'ai obtenu le poste. Jeff, Tommy et moi sommes allés fêter ça. Je n'avais jamais pensé que Jeff s'était porté candidat lui aussi, et je savais que Tommy cherchait un poste plus administratif. Qu'il a finalement eu. Mais huit ans plus tard, Zorda était toujours cariste.

« C'était à cause de quoi, de mes notes à l'examen d'entrée à l'université ? Tu as vraiment réussi ton examen, toi ? Enfin quoi ? Pourquoi tout le monde te choisit toi au lieu de moi ? » Il sanglote à présent, et j'ai envie de dire quelque chose, mais il repart. « Putain, tu te rappelles ce match… (il sanglote et renifle) ce match de foot ? Tu as prévu cinq jeux à la suite. Qui peut prévoir cinq jeux à la suite ? On avait parié, tu te rappelles ? Tu as pris mes cinquante dollars. Cinq jeux à la suite ! Tu es le plus verni des salauds et tu gagnes toujours, Jake. Tu gagnes toujours. »

Je gagne toujours ? C'est une façon originale de voir ma vie. « Jeff, il y avait une télé derrière toi qui transmettait le match avec quelques secondes d'avance. Tu as jamais compris ça ? »

Ses sanglots s'arrêtent et il s'essuie les yeux, puis le nez, sur sa manche. « Quoi ?

— Quand j'ai gagné le pari. Il y avait une télé derrière toi qui captait un signal. Je regardais simplement la télé, vieux. J'allais te le dire, mais tu es parti et tu t'es défoncé sans dire au revoir à personne. » Je ris et je vois son regard torturé. Aussi mal que les choses se soient passées pour moi, ç'a toujours été pire pour lui, parce que de fait Zorda n'est pas très malin. C'est émouvant. J'ai presque envie de le prendre dans mes bras, ce gars que j'ai toujours intimidé, qui a toujours été jaloux de moi. De moi, Dieu du ciel.

Il me regarde rire et croit que je me moque de lui. C'est vrai. Mais je ris aussi de toute la folie ambiante. Regardez-le, prêt à me dénoncer aux flics si je ne lui donnais pas son argent. Regardez-moi, assis chez lui avec un pistolet, prêt à faire gicler sa cervelle dans son propre living. Je ris parce que le monde est pourri, et il se met à rire lui aussi parce qu'il comprend que je ne le tuerai pas.

Je lui dis: «Je vais la prendre, cette bière.»

Nous passons l'heure qui suit à bavarder comme au bon vieux temps. Je lui dis que je prends ma retraite pour pouvoir diriger un magasin. Je vais brancher Jeff sur Gardocki, qui semble avoir une réserve inépuisable de gens à tuer. Connaître tant de gens qui doivent mourir, ça doit être le signe d'une vie mal vécue. Ou bien ce sont ceux qui doivent mourir qui vivent mal. N'importe. Je lui décris comment on tue, et il écoute avec une attention extrême, il apprend les ficelles du métier. Je lui donne une liste de ce qui est à faire et à ne pas faire. Nous liquidons un pack de six bières. Quand je regarde ma montre, il est cinq heures moins le quart et je dis que je dois aller acheter des roses pour Sheila.

Le camionneur de Sheila part à neuf heures, et elle arrive chez moi à neuf heures trente-cinq. À la seconde où elle entre, je retrouve son parfum, et je la reçois avec un baiser. Ça me ramène immédiatement dans la chambre de Miami. Elle lance son sac sur mon canapé, je sors un rôti du four et l'odeur remplit la pièce.

Elle demande: «Comment ç'a été aujourd'hui?

– Oh, tendu. Mais tout s'est arrangé. Et toi?»

Elle voit la table mise, les bougies, pousse un cri de joie en apercevant les roses. Elle s'approche et met ses bras autour de moi. Elle me murmure à l'oreille : «Bien. » et elle sourit. «Mieux maintenant. »

10

Il y a eu quelques longs mois difficiles.

Gardocki nous a obtenu un prêt et nous avons acheté le magasin. Nous travaillons toujours pour Gas'n'Go, qui est une filiale d'Amalgamated Quelque Chose, elle-même coiffée par une autre compagnie, mais à la base, c'est notre magasin. Ils nous demandent de mettre les produits Wenke sur l'étagère du haut, mais en fait c'est à nous de décider si nous voulons le faire ou pas. Je ne veux pas. J'emmerde Wenke. Tommy ne comprend pas pourquoi je réagis comme ça, il dit que les chips sont bonnes et que nous devrions essayer de les vendre. Quelquefois, quand je prends mon tour au magasin, je vois qu'il les a toutes rangées sur l'étagère du haut. Quelquefois, je les rejette au niveau du sol. J'imagine qu'un jour j'arrêterai.

Il faudra un certain temps avant que nous commencions à gagner de l'argent. J'ai parfois des angoisses quand il n'y a pas foule le matin et que le café n'est pas vendu. Je calcule dans ma tête le coût du café que nous jetons. Mais la vente d'essence est assez régulière et Tommy me dit de ne pas m'inquiéter. Dans deux ans environ nous devrions gagner vingt-cinq mille dollars chacun, et nous travaillons dans les soixante heures par semaine. Mais c'est facile, et complètement différent quand on fait ça pour soi-même.

Patate a eu une augmentation, il touche à présent huit dollars de l'heure et son élocution s'est instantanément améliorée. Il s'occupe de l'inventaire et je le laisse faire ses devoirs chaque fois que c'est calme. L'autre jour il m'a demandé une blouse et je lui ai dit de laisser tomber. Je n'ai pas précisé que je les avais brûlées dans une poubelle avec de l'essence. Il a de la barbe à présent, et je lui demande de se raser avant de venir travailler. D'habitude, il le fait. S'il a besoin d'un service, il est toujours rasé de près pour m'en parler. Mais parfois je vois qu'il me regarde, et je sais qu'il sait quelque chose à propos de la nuit où il m'a remplacé jusqu'à deux heures du matin. Ce gamin n'est pas idiot.

Zorda passe de temps en temps. Il fait des commissions pour Gardocki, et chaque fois que je le vois, il arbore un grand sourire. Il a un blouson de cuir neuf et circule toute la journée dans le 4x4 de Gardocki. L'hiver est fini, et quand il vient chercher des cigarettes il a généralement la sono à fond et les fenêtres ouvertes. Il n'a jamais parlé de contrat, mais au fond, il vaut mieux pas. Même un imbécile comme Jeff l'a compris. Il dit que nous devrions tous aller chez Tulley quand la saison de foot recommencera, et je pense que ça pourrait se faire. Il veut voir la télé qui reçoit avant les autres. Ça l'excite encore, même si nous évitons de faire allusion à ses sanglots incontrôlables et à mon pistolet sous son nez.

Le camionneur de Sheila vit toujours, miraculeusement. Si quelqu'un méritait une balle c'était bien ce connard. Un jour, Sheila m'a appelé au magasin dans l'après-midi et j'ai dû aller le chasser de chez moi avec une pelle. Sheila venait de s'installer avec moi, et en rentrant de son travail elle l'avait trouvé en train de l'attendre à la porte. Quand elle était partie, il s'en était foutu, il avait bien pris la chose, mais au bout de quelques

210

semaines il a commencé à lui faire des sales coups, comme lacérer ses pneus. Tony Wolek m'a dit qu'il s'est finalement trouvé une fille de dix-neuf ans et qu'il l'a mise enceinte, il a donc d'autres chats à fouetter. Nous ne l'avons pas vu depuis un certain temps.

À propos, Sheila est enceinte. Nous l'avons appris la semaine dernière. Il est peut-être temps de se marier bientôt, même si ça ne peut être qu'une signature pour le moment. Il n'y a pas moyen que je me libère du magasin pour aller en lune de miel. Tommy travaillerait cent heures par semaine. Je ne peux pas non plus nous payer une lune de miel. Mais ce serait bien d'être mariés. Chaque fois que je la regarde, je pense à la chance que j'ai.

La semaine dernière, c'était mon anniversaire, et j'ai dû faire le service de nuit, mais Gardocki y a pensé, lui! Il est venu au magasin et m'a offert un bon écrit à la main pour un pari de cent dollars avec promesse de ne rien me demander si je perdais. Il a un sacré sens de l'humour. Sheila ne veut plus que je parie, ça ira donc à la poubelle. Il m'a donné aussi une mallette en me disant de l'ouvrir chez moi, pas devant les caméras de sécurité. C'était le fusil de Miami, celui que je n'ai jamais eu. C'est vrai, c'est une beauté. Il se démonte en trois parties, et il a… un silencieux!

Remerciements

Je voudrais remercier ceux qui m'ont aidé d'une manière ou d'une autre pendant que j'écrivais ce livre :

Angela Hendrix, Kathleen Kern, Barbara Kingsbury, Andrew Langman, Travis MacCaskill, Faith Manney, Patricia Pelrine, Charles Rhyne, Nancy Santos, Marion Scepansky, Dave Snyder, Michael Taeckens, Jim Teal, et Nathan Watters.

Littérature en «Piccolo»

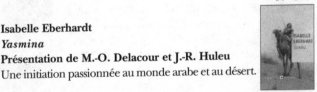

Sholem Aleikhem
Le Traîne-savates & autres contes ferroviaires
Traduit du yiddish par un collectif

Le lieu de l'action? Un train dénommé le Traîne-savates. Les personnages? Ces Juifs d'Europe orientale contraints à la débrouillardise, mais aussi, rompus à l'art de compliquer les choses…

Linda D. Cirino
La Coquetière
Traduit de l'américain par Claude Bonnafont
Une belle histoire de courage et de lutte contre les préjugés, dans l'Allemagne nazie.

Ernest J. Gaines
Ti-Bonhomme
Traduit de l'américain par Michelle Herpe-Voslinsky
Ça ne tourne pas rond dans la tête de Ti-Bonhomme lorsque maman et papa se disputent. L'objet de la bagarre est bien difficile à saisir.

Stephen Crane
Blue Hotel
Traduit de l'américain par Jean-Luc Defromont

Nous sommes en 1898 et des Américains qui n'en sont pas, pas encore, ont improvisé une table et jouent aux cartes leur devenir et leur cohabitation dans le Nouveau Monde.

Lore Segal
Du thé pour Lorry
Traduit de l'américain par Michelle Herpe-Voslinski
L'histoire émouvante et drôle d'une fillette juive autrichienne qui, comme Lore Segal, est envoyée en Angleterre seule pour fuir la montée du nazisme.

Natalia Ginzburg
Tous nos hiers
Traduit de l'italien par Nathalie Bauer

Le cheminement de quatre adolescents de la bourgeoisie italienne confrontés à un double drame, familial et historique. Un grand classique.

P.M. Pasinetti
De Venise à Venise
Traduit de l'italien par Soula Aghion
En toile de fond, les années 1920 et la montée du fascisme. Au premier plan, les vies croisées de trois vieilles familles vénitiennes.

Henry James
L'Américain
Traduit de l'anglais par Claude Bonnafont

En 1868, Christopher Newman, séduisant Américain d'une quarantaine d'années, découvre Paris et tombe sous le charme de la ville, et d'une jeune et belle aristocrate…

Ernest J. Gaines
Dites-leur que je suis un homme
Traduit de l'américain par Michelle Herpe-Voslinsky

Dans les années quarante, en Louisiane, Jefferson, un jeune Noir démuni et ignorant, est accusé d'un crime qu'il n'a pas commis : l'assassinat d'un Blanc.

Rosetta Loy
La Bicyclette
Traduit de l'italien par Françoise Brun

Une maison de campagne en Italie dans les années de guerre et d'après-guerre, une famille de la grande bourgeoisie, l'entrelacs subtil des sentiments…

Andrzej Szczypiorski
La Jolie Madame Seidenman
Traduit du polonais par Gérard Conio

Varsovie, 1943. L'année terrible. Tournent les atrocités de l'histoire, et les destins croisés liés par une chaîne mystérieuse. Irma Seidenman est elle aussi prise dans la tourmente. Un roman inoubliable.

Iain Levison
Un petit boulot
Traduit de l'américain par Fanchita Gonzalez Batlle

Quel petit boulot peut-on faire quand on les a tous écumés, et que les banquiers vous harcèlent, dans une ville ravagée par la délocalisation? Un récit grinçant qui a fait un tabac en librairie.

Ernest J. Gaines
Colère en Louisiane
Traduit de l'américain par Michelle Herpe-Voslinsky

Beau Boutan, le contremaître cajun, a été abattu d'un coup de fusil. Chacun est prêt à revendiquer le meurtre, dans une même solidarité qui se dresse face aux inégalités.

Bruno Arpaia
Dernière frontière
Traduit de l'italien par Fanchita Gonzalez Batlle

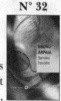

Dans les années sombres du nazisme, les destins croisés d'un combattant républicain espagnol et d'un penseur solitaire inapte à affronter la vie, Walter Benjamin.

N° 36

Kate Chopin
L'Éveil
Traduit de l'américain par Michelle Herpe-Voslinsky
À la fin du XIXᵉ siècle, une villégiature en Louisiane,
sereine et paisible. Un peu trop aux yeux d'Edna.
Une émotion amoureuse, un parfum enivrant et la
vie change de registre. C'est «l'éveil».

Sholem Aleikhem
La peste soit de l'Amérique

N° 37

Traduit du yiddish par Nadia Déhan
En 1913, misère et antisémitisme déchirent
l'Europe de l'Est. Menahem-Mendel échange des
lettres avec sa femme restée à Klasrilevke, tandis que
lui va de Kiev à New York, avec ses projets
grandioses, ses citations talmudiques et ses
explications loufoques.

N° 41

Bertina Henrichs
La Joueuse d'échecs
Un jeu peut-il faire basculer la vie d'une femme?
Difficile de le croire. Pourtant, sur l'île de Naxos, le
plus vieux jeu du monde sera pour Eleni le début de
l'aventure, et de l'émancipation.

N° 43

Dan Gearino
J'ai tout entendu
Traduit de l'américain par Jean-Luc Defromont
«Je n'ai pas prononcé un seul mot depuis que je suis
descendu du du car à Barrington, il y a cinquante-
deux ans. […] Tout le monde ici vous dira que je
suis sourd-muet. Rien de plus faux.»

Itzhak Orpaz
Fourmis
Traduit de l'hébreu par Rosie Pinhas-Delpuech

Un couple dans un appartement exigu. Elle, pure, virginale et intouchable, lui, éperdu d'amour mais impuissant devant ce corps de glace. Un jour, une fourmi grimpe sur le corps de la femme, lui arrache un soupir de jouissance. Puis d'autres fourmis apparaissent...

Eddy L. Harris
Harlem

Harlem. Le seul bout de terre qui appartienne totalement aux Noirs d'Amérique. Un voyage envoûtant dans l'histoire et le quotidien de ce quartier new-yorkais qui s'effrite un peu plus jour après jour.

Iain Levison
Une canaille et demie
Traduit de l'américain par Fanchita Gonzalez Batlle

Dans une petite ville du New Hampshire, deux hommes se font face. L'ex-taulard et le professeur. Le braqueur en cavale et le séducteur au petit pied. Un pistolet automatique les sépare. Leur vision de la vie et des hommes aussi...

Bo Caldwell
L'Homme de Shanghai
Traduit de l'américain par Jean-Luc Defromont

Dans les années 30 et 40, un Américain vit un amour effréné pour Shanghai, ses ruelles odorantes, son fleuve boueux. Au point de supporter l'invasion japonaise, les geôles communistes... Sa femme, incapable d'endurer ces épreuves, rentrera aux États-Unis avec sa fille, Anna, la narratrice.

N° 45
N° 50
N° 51
N° 54

Domenico Campana
À l'abri du sirocco
Traduit de l'italien par Claude Bonnafont
Un couple des bas quartiers de Palerme reçoit en
héritage le palais du prince Acquafurata, à la
condition d'y habiter. Mais les rapports se tendent
avec le vieux serviteur du palais.

Seth Greenland
Mister Bones
Traduit de l'américain par Jean Esch
Hollywood... Lloyd Melnick, auteur de sitcom à
succès, et Frank Bones, comique en quête de grand
public, n'acceptent qu'à contrec?ur les
compromissions qui mènent à la gloire. Cette
grinçante contestation va les lancer dans une
aventure aussi improbable que leur amitié.